Aprende a relajarte

Jacques Choque

Aprende a relajarte

Traducción de Laurence Chapuis

Si usted desea que le mantengamos informado de nuestras publicaciones, sólo tiene que remitirnos su nombre y dirección, indicando qué temas le interesan, y gustosamente complaceremos su petición.

Ediciones Robinbook
información bibliográfica
c/Indústria 11 (Pol. Ind. Buvisa)
08329 - Teià (Barcelona)
e-mail: info@robinbook.com

www.robinbook.com

Título original: *ABC de la rélaxation*

Diseño de cubierta: Regina Richling
Ilustración de cubierta: Illustration Stock
Producción y compaginación: MC producció editorial
ISBN: 84-7927-822-6
Depósito legal: B-713-2006
Impreso por Limpergraf, Mogoda 29-31 (Can Salvatella)
08210 Barberà del Vallès

Impreso en España - *Printed in Spain*

¿Qué es la salud?

«La salud ante todo es un estado de armonía en el interior y las distintas instancias que componen el ser humano, su «yo» intelectual y su «yo» espiritual, así como el ser humano y su entorno. La salud requiere una lucidez, un estado de conciencia cada vez más despierto. Así, esta armonía libera la energía necesaria para la vida y el mantenimiento de la salud. Alcanzar esta armonía, este estado de salud global u «holístico» necesita de una predisposición para la comunicación, de un fácil acceso a la información, de la posibilidad de vivir y expresar los sentimientos, de buscar un significado a la vida.»

ROSETTE POLETTI

«La salud es un estado de completo bienestar físico, mental y social y no consiste tan sólo en la ausencia de enfermedad o incapacidad.

»La posesión del mejor estado de salud que cualquier ser humano sea capaz de alcanzar constituye uno de sus derechos fundamentales cualesquiera que sean su raza, religión, opiniones políticas, o su condición económica o social.

»La salud de todos los pueblos del planeta es condición fundamental para la consecución de la paz y seguridad en el mundo, ella depende de la cooperación más estrecha entre los individuos y los estados.»

Definición de la
ORGANIZACIÓN MUNDIAL DE LA SALUD

«La capacidad de hacer frente, manteniendo el mayor grado posible de autonomía y de capacidad de actuar, a todas las situaciones que tenderían por sí mismas a debilitar su potencial y su dinamismo de vida.»

P. VESRTIEREN

«Una aptitud para hacer frente de manera autónoma al dolor, la muerte y la enfermedad como parte integrante de la experiencia de cada individuo.»

I. ILLITCH

«Resulta de una proporción armoniosa entre las fuerzas que resisten a la muerte.»

BRUNETIÈRE

«La aptitud para equilibrar las condiciones de vida con respecto a los recursos defensivos y para desarrollar estos últimos en función de las situaciones a las que hay que hacer frente.»

P. SIVADON

«La salud es el margen que concedemos a las infidelidades del medio.»

ANGUILHEM

«La salud no es la utópica ausencia de enfermedad sino la aptitud para ejercer las funciones requeridas por un medio dado. y como este medio no deja de evolucionar, la salud es un proceso de adaptación continua a los innumerables virus, agresiones ambientales, tensiones y problemas a los que el hombre tiene que enfrentarse cada día.

»Es un estado cambiante y dinámico que hace que todos los hombres estén preparados para utilizar la globalidad de su potencial físico y mental, al tiempo que les permite desarrollar una vida rica y creativa.»

R. DUBOS

«Es un estado dinámico en el ciclo de vida de un organismo que implica una adaptación continua al estrés del entorno interno y externo. Esta adaptación se realiza mediante una utilización óptima de los recursos para alcanzar el potencial máximo de un individuo en su vida diaria.

»Está relacionada con la manera en la que un individuo hace frente a los retos impuestos por el crecimiento y el desarrollo, mientras funciona dentro de una cultura en la que ha nacido ya la que intenta hacer frente.»

IMOGÈNE KING

A modo de introducción

En la vida cotidiana, las ocasiones para estar tensos, ya sean familiares o laborales, no faltan. Las condiciones de la vida moderna, en particular los nuevos ritmos de vida suscitan, para muchos individuos, un cansancio anormal y un estado constante de nervios y de ansiedad. El estrés ya no aparece como una agresión puntual, fácilmente identificable e incluso con factores positivos. Porque, aún en el caso en que pueda resultar positivo, el ser humano debe aportar una respuesta y adaptarse de esta forma a la nueva situación. No, hoy día el estrés es múltiple, insidioso, sorpresivo, mientras que al mismo tiempo los individuos se debilitan.

A pesar de una relativa prosperidad y de los extraordinarios adelantos técnicos y científicos, los seres humanos tienen cada vez más dificultades para enfrentarse a las exigencias de la vida. Por tanto ante esta situación el empleo de tranquilizantes, somníferos y píldoras contra la jaqueca, no deja de aumentar. Ahora bien, estos productos, a los que podemos calificar de drogas en la medida en que no se puede prescindir de ellos, no alivian sino momentáneamente y, cuando desaparecen sus efectos, los problemas aparecen de nuevo ya menudo de forma más perniciosa. Este proceso es un verdadero círculo vicioso que no hace sino disminuir progresivamente la resistencia del organismo, debilita el sistema nervioso ya veces puede acarrear fatiga e incluso agotamiento. El individuo está entonces *hecho polvo, reventado,* cuya consecuencia no es otra que la de *hundirse*. Las expresiones no faltan para caracterizar este estado en el que la persona no puede enfrentarse a nada, lo cual constituye a menudo una puerta abierta a gran número de enfermedades, conocidas como psicosomáticas tales como las úlceras gástricas, algunas impurezas cutáneas (repentina aparición de eccemas, picores sin causa...), y numerosos problemas coronarios (taquicardias, infartos...).

¿Cuáles pueden ser las soluciones?

¡Las disciplinas y los métodos no faltan! Desde la A como Aikido, hasta la Y como Yoga, las prácticas antiestrés son numerosas en el mercado: Sofrología, Stretching, Tai-chichuan, Zen, Entrenamiento autógeno, Gimnasia suave...

Todas esas técnicas no sólo están bien codificadas sino que tienden a una mejor regulación de la energía ya un perfecto equilibrio psicosomático. Tienen en cuenta la globalidad de la persona intentando unificarla, obligándole a ser diligente en las posturas que ha de adoptar su cuerpo, y sobre todo dando al adepto los medios de una toma de conciencia aguda en cuanto a su espacio interior ya la relación que mantiene con los demás, con el entorno y el universo.

Entre todos los métodos propuestos, la relajación es un medio sumamente eficaz para reducir las tensiones, ya sean de orden físico o psíquico, pero no ofrece solamente estas ventajas. Sus efectos son sumamente numerosos y los describiremos en este libro. El interés de la relajación reside también en el hecho de que se trata de una técnica bastante simple (aunque existen, como luego tendremos ocasión de comprobar, técnicas muy elaboradas), que pueden adaptarse a cualquier persona (atletas de alto nivel, niños, mujeres embarazadas, personas mayores...) y que pueden ser vividas prácticamente en cualquier lugar y en cualquier circunstancia. Por medio de este libro, deseamos proporcionarle los medios prácticos y eficaces para poder encontrar cuando quiera un estado de calma y de paz absolutas. En este estado puede surgir un mundo fantástico y rico en el cual la conciencia se agudiza y adquiere mayor lucidez.

Este viaje a lo más profundo de sí mismo está al alcance de todos: para aventurarse en este camino sin ningún peligro, en el cruce entre lo somático y lo psíquico, sólo hace falta muy poca voluntad, un poco de ánimo, así como una organización mínima del tiempo.

¿Por qué no intentarlo ahora mismo?

Capítulo 1
Notas acerca de la relajación

A. ¿Qué es la relajación?

Cuando una persona es juzgada por un tribunal, puede ser declarada culpable o inocente, a esto último en Francia se le llama *relaxée,* lo mismo ocurre con la relajación: nos liberamos de nuestras tensiones tanto musculares como psíquicas que se han acumulado con el transcurso de los años. Nuestros miedos, preocupaciones, conflictos e incluso el estrés se imprimen en nuestro cuerpo, en nuestra propia carne, en nuestro subconsciente, hasta formar lo que W. Reich llamaba «una coraza caracterial». Esta especie de caparazón nos va apresando poco a poco y las innumerables capas que lo componen consumen gran cantidad de energía, como si se tratara de verdaderos parásitos que se alimentasen a expensas de nuestro organismo.

Si no tenemos cuidado, día tras día se va tejiendo una verdadera camisa de fuerza que impide cualquier gesto armonioso, cualquier libertad de movimiento, de expresión, de creatividad. La espontaneidad y la alegría de vivir permanecen ocultas. Las tensiones pueden también acumularse tanto que un día «estallamos» como «una olla» hasta el punto de llegar a encontrarnos fuera de nosotros mismos.

Gracias a la relajación, no sólo disminuyen estos riesgos sino que se produce un estado ideal gracias al cual podemos observar e incluso recrear estados de conciencia inhabituales.

La relajación es, por tanto, un verdadero método –arte o ciencia– que, en fase de iniciación, enseña al sujeto cómo controlar, voluntariamente, la bajada de su tono vital. Gracias a técnicas codificadas, se persigue la automatización de la vigilancia real de aquellas dificultades a las que hay que enfrentarse. En realidad se trata de un verdadero reacondicionamiento positivo.

El sujeto, después de haber tomado conciencia propia de determinadas reacciones inadecuadas, busca no sólo eliminarlas, sino también sustituirlas por otras más compatibles con la naturaleza de las situaciones que se le presentan. Este nuevo acondicionamiento se realiza sin dependencia de monitor alguno, lo que lo diferencia, por ejemplo, de la hipnosis.

No obstante y para afinar esta tentativa de definición, conviene aportar algunas aclaraciones sobre ciertas palabras que se han empleado, particularmente sobre los vocablos tono, vigilancia, consciente y subconsciente. «El tono –dice François Lhermitte–,[1] que es una tensión permanente de la musculatura, permite el buen desarrollo del acto motriz al asegurar la quietud del conjunto del cuerpo, y al adaptar su posicionamiento en función de la naturaleza de la actividad motriz a realizar. Se sincroniza con el nivel de vigilancia del cerebro, para realizar, en los más breves plazos y en las mejores condiciones posibles, un modo de expresión preciso y eficaz. En fin, el tono muscular acompaña permanentemente al gesto en sus distintas fases: arranque, desarrollo y mantenimiento de las actitudes.» André Van Lysebeth por su parte añade:[2] «Normalmente, en el ser vivo libre de cualquier tensión psíquica, en estado de descanso o de vela, todos los músculos están en estado de tono y cuando un movimiento es exigido por la voluntad, los músculos necesarios se estiran más o menos según el esfuerzo requerido. Este estado, obviamente muy normal, puede ser una contracción ligera, como por ejemplo cuando se levanta un brazo, y una contracción máxima, como la realizada por los campeones olímpicos de halterofilia. En cuanto se acabe el movimiento, sea ligero o no, el músculo vuelve al estado de tono. Por lo tanto, en cualquier momento del día pasamos cientos de veces por minuto, mediante este estado fluctuante, entre el tono y la contracción muscular.

«Del otro lado de la línea de demarcación existe la relajación voluntaria de un músculo o de un grupo de músculos. Mientras la contracción es natural e innata para todos los seres vivos dotados de un sistema nervioso y muscular, en el caso de la relajación voluntaria, debajo del tono, es algo completamente distinto ¡Debe provenir de una orden!».

La vigilancia es un nivel de activación muscular que aparece con el despertar. A lo largo del día cada persona atraviesa por distintas fases: de la vela atenta al sueño profundo, pasando por distintos estados de presencia más o menos importantes según la capacidad de atención y el grado de motivación.

Durante el estado de vela predomina el consciente. Si comparamos el espíritu con un iceberg, el consciente únicamente representa la pequeña parte que queda al descubierto. En la parte sumergida, en el subconsciente, se encuentran todas nuestras experiencias pasadas, nuestros deseos instintivos, nuestros complejos, nuestras inhibiciones. También es la sede de la intuición, de la creatividad y del pasado común a toda la raza humana de la que algunos elementos aparecen en la expresión de símbolos, de mitos y de sueños.

Ahora bien, durante el estado de relajación tenemos la oportunidad de observar todo lo que se ha acumulado en esta auténtica despensa que es el subconsciente, para posteriormente, gracias aun entrenamiento apropiado, contar con la posibilidad de introducir imágenes, pensamientos elegidos intencionadamente por su aporte de alegría, eficacia y energía. Si observar estas auténticas películas se convierte en costumbre podremos progresivamente dejar de identificarnos con ellos e incluso ser capaces de escribir nuestros propios guiones. Es lo que les proponemos descubrir y sobre todo experimentar gracias a los ejercicios descritos en este libro.

B. Los distintos métodos de relajación

1. El entrenamiento autógeno de Schultz

Nacido en 1884, J. H. Schultz, tras realizar sus estudios en Breslau (Alemania), se licenció en medicina para, posteriormente y a partir de 1919, ejercer como profesor de neurología y psiquiatría. Atraído por el psicoanálisis y la hipnosis, desea sin embargo abandonar estas vías que requieren la presencia de un terapeuta y crean relación de dependencia.

Muy temprano, a partir de 1908, sienta las primeras bases de su método que revelará al gran público mediante su obra *Entrenamiento autógeno,* que él mismo define de esta forma: «Un entrenamiento para una disciplina personal que permite, en cualquier instante y sin la ayuda del médico, dominar el pensamiento y las funciones corporales. Se trata de un entrenamiento cuyos resultados dependen de la perseverancia en el ejercicio y, por tanto, de la voluntad de equilibrarse para encontrar de nuevo una armonía perfecta».[3]

Por consiguiente el entrenamiento autógeno es un método de relajación que parte de la observación siguiente: cualquier estado de fatiga o de ansiedad se acompaña de –y produce– contracciones musculares. En efecto, si se puede obtener una desconexión general del organismo; al dejar el cuerpo plenamente relajado, los síntomas tienden a desaparecer. Este método, gracias aun conjunto de ejercicios muy precisos, permite adquirir progresivamente la relajación y suprimir las tensiones inútiles desde el interior, contrariamente, por ejemplo, a los masajes, cuya acción es exógena. Por tanto, Schultz nos propone ejercicios que nos permiten desarrollar una armonía psicosomática –equilibrios físicos y tomas de conciencia de los problemas psicológicos–. Nos– convertimos así en mejores conocedores de nosotros mismos, más lúcidos, más eficaces y hasta podemos resolver disfuncionamientos energéticos tales como jaquecas, extremidades frías –manos y pies– e insomnios. Además, paralelamente a esta autorrelajación, podemos aumentar nuestro poder de concentración y, paulatinamente, explorar y dominar nuestras distintas funciones mentales.

Como muchas técnicas de relajación, ciertas condiciones son necesarias para abordar lo mejor posible las sesiones: aula tranquila, luz tenue, calor suficiente para favorecer la relajación, ropa amplia y ojos cerrados para facilitar el vacío mental y la interiorización.

Según la posibilidades en cuanto al momento y al lugar, es posible adoptar tres posiciones:

- La posición sentada con un máximo de comodidad.
- La posición conocida como «calesero», sentado sobre un taburete con los codos y los antebrazos apoyados sobre los muslos y la espalda encorvada y el cuello plenamente relajado.
- Tendidos boca arriba con cojines o mantas colocados, si es necesario, de manera estratégica debajo de los huecos existentes entre las articulaciones y la superficie, es decir debajo de la nuca, las rodillas o los antebrazos.

Una vez elegida la posición, el sujeto se concentra con una primera fórmula: «estoy tranquilo... absolutamente tranquilo...», para poder continuar con la sesión.

El entrenamiento autógeno se compone de dos ciclos llamados «inferiores» y «superiores».

El primero consta de seis ejercicios:

A. La experimentación de la gravedad: el sujeto debe repetir de cinco a seis veces la fórmula: «mi brazo derecho –o el izquierdo para un zurdo– pesa mucho». Luego, el sujeto continúa realizando un recorrido por el resto de miembros de su cuerpo: «mis dos brazos pesan mucho, mis dos piernas pesan mucho», comunicando de esta manera dicha sensación de gravedad a todo el cuerpo.
B. La experimentación del calor: tras haber vivido la experiencia de la relajación y la sensación de gravedad, el sujeto, gracias al fenómeno de la vasodilatación,

toma conciencia del calor en el mismo orden de progresión seguido durante la experiencia precedente. En realidad, la nueva fórmula «mi brazo derecho –o izquierdo– está caliente», «mis dos brazos están...», es más una constatación que una inducción ya que la acción de la concentración mental regula el flujo sanguíneo mediante la influencia del sistema nervioso.

El sujeto experimentado es ahora capaz de una «autorrelajación concentrativa» según los términos de Schultz y, al final de la progresión, las sensaciones pueden ser globalizadas gracias a una única fórmula: «estoy tranquilo, absolutamente tranquilo..., mis brazos y piernas pesan..., mis brazos y piernas están calientes, absolutamente calientes..., mis brazos y piernas pesan y están calientes, absolutamente pesados, absolutamente calientes...».

C. Regulación cardiaca: el sujeto toma conciencia de los latidos rítmicos del corazón y repite la fórmula: «mi corazón late tranquila y correctamente». Tal posibilidad de regulación es capital ya que cada uno ha podido comprobar la relación estrecha entre una emoción y el cambio de ritmo y de intensidad de los latidos cardiacos.

D. Ejercicio respiratorio: el sujeto se abandona al vaivén de su respiración automática y repite en cada una de ellas la siguiente fórmula: «mi respiración es absolutamente tranquila, sólo soy mi respiración» .

E. Percepción sensitiva a nivel abdominal: al colocar la mano entre el ombligo y el apéndice xifóides, el sujeto intenta sentir en esta región un calor intenso, sugestionándose mediante la formula: «mi plexo solar está caliente, absolutamente caliente». El objetivo es hacer irradiar este calor a todo el abdomen.

F. Ejercicio de percepción de frescor en la frente: el sujeto intenta percibir un frescor frontal al repetirse mentalmente: «mi frente está fría, agradablemente fría...».

Este último ejercicio del ciclo inferior permite aislar la cabeza del fenómeno de vasodilatación que se ha producido en todo el cuerpo. El sujeto no sólo mantiene de esta forma «la cabeza fría» –dominio emocional–, sino que también evita eventuales cefaleas.

La recuperación se debe producir mediante una sucesión de etapas bien determinadas, durante un proceso aprendido en el transcurso de las primeras sesiones: movimientos de brazos, movimientos de los miembros inferiores, posteriormente de todo el cuerpo y dos o tres respiraciones profundas.

Al final, el sujeto, al haber recuperado su tono normal, deja expresar el lenguaje original de su cuerpo: suspiros, bostezos, estiramientos.

En cuanto al ciclo superior, dos condiciones son necesarias para poder acceder al mismo:

- Que el ciclo inferior esté perfectamente dominado.
- Que el sujeto se encuentre bajo el control de un psicoterapeuta, de tal manera que se le realice un análisis en profundidad.

Se proponen diez etapas sucesivas:

1. Intensificación del proceso de concentración gracias a la convergencia de la mirada hacia el centro de la frente.
2. Descubrimiento de su color propio al dejar surgir uno en su mente.

3. Representación de varios colores para desarrollar una sensibilidad perceptiva.
4. Representación de objetos corrientes.
5. Visión de objetos «abstractos»: representación mental de conceptos como la justicia, felicidad, eternidad, amor...
6. La elaboración de la representación de un estado de conciencia que desea alcanzar el sujeto.
7. El sujeto imagina a una persona e intenta juzgarla.
8. El sujeto se juzga a sí mismo.
9. Interrogación del subconsciente.
10. Elaboración de sugestiones positivas que permitan mejorar su porvenir.

Así, el entrenamiento autógeno, método estructurado, riguroso, progresivo, puede ser aplicado en diferentes campos: mejora de la concentración, de la memoria, de las capacidades de aprendizaje, facilidad para la recuperación de un sueño profundo, disminución inmediata de un estado de tensión excesivo y de una emoción perturbadora.

2. La relajación progresiva de Jacobson

Edmond Jacobson, médico y terapeuta, defendió durante toda su vida una visión científica de la relajación, al pretender que su método se diferenciara de la hipnosis y del yoga. Tiende a proveer una toma de conciencia a nivel de cada segmento del cuerpo, de las diferencias entre las sensaciones de tensión y de relajación. La persona concentrada en su propio cuerpo observa los puntos precisos de tensiones musculares. A medida que se realiza el aprendizaje, el sujeto es capaz, al eliminar las tensiones musculares, de hacer frente al estrés originado por las situaciones difíciles ya que, para Jacobson, el estrés se acompaña siempre de contracciones musculares.

Una de las primeras observaciones de Jacobson fue que cuanto el sujeto está más tenso a nivel de los nervios, o rígido muscularmente, más se sobresalta a la menor e inesperada señal sonora. Al contrario, el sujeto en estado de relajación reacciona ante el ruido sin tantos aspavientos. Por tanto, el método de Jacobson consiste esencialmente en emprender una acción sobre la hipertonicidad neuromuscular; ésta se produce incluso cuando se crean imágenes mentales. Así, la única representación de una situación crea un estado de tensión. Concretamente, se debe preparar para esta relajación del mismo modo y con las mismas condiciones que eran necesarias para la práctica del entrenamiento autógeno: un lugar tranquilo, una temperatura agradable, y una posición corporal cómoda –tendido boca arriba, con los brazos colocados de forma ligeramente oblicua con respecto al tronco–. Este método requiere un entrenamiento cotidiano, existiendo dos niveles asequibles. La relajación a que nos venimos refiriendo, llamada progresiva, comprende tres etapas:

A. Reconocimiento e identificación de una contracción para posteriormente proceder a la relajación muscular correspondiente. Esta toma de conciencia se efectúa en todas las partes del cuerpo incluyendo los ojos y los músculos del aparato auditivo, ya que «para disminuir la actividad mental, hace falta lograr una relajación progresiva e intensa de los músculos oculares y del aparato auditivo».[4]
B. Relajación de ciertos músculos mientras otros permanecen en actividad, pero con el mínimo de tensión

necesaria para la realización de la tarea que hay que efectuar.

C. Toma de conciencia en cualquier momento de la vida cotidiana de todas las tensiones musculares relacionadas con una preocupación afectiva o emocional. El sujeto relaja los músculos en cuestión y siente inmediatamente una repercusión positiva en su mente.

Así, la relajación progresiva se apoya únicamente en las observaciones objetivas que se refieren a la relación entre el tono muscular, las emociones y la actividad mental. Este método no recurre a ninguna sugestión; los fenómenos que aparecen se controlan fácilmente y los resultados son prácticamente inmediatos. Por consiguiente, todo el mundo puede encontrar en este método un medio rápido y eficaz de ahorrar su energía.

3. La sofrología de Alfonso Caycedo

Fue en 1960 cuando el profesor Caycedo crea la Escuela de Sofrología. Médico especializado en psiquiatría, después de una estancia en Asia desarrolla un método propio que él mismo define como «da ciencia que estudia la conciencia, sus modificaciones y los medios físicos, químicos o psicológicos que pueden modificarla con una meta terapéutica, profiláctica o pedagógica». Caycedo también pretende, al igual que Schultz y Jacobson, proporcionar a su método un contenido eminentemente científico –verificación de las hipótesis de trabajo antes de realizar cualquier aplicación– y que se encuentre desprovisto de cualquier connotación mística.

El término «sofrología» es un derivado del griego *sós* que puede traducirse por «armonía», de *phrê* que significa «conciencia» y de *logos* cuyo significado es el de «estudio» .

Por tanto, la sofrología es «da ciencia del espíritu sereno aplicada a la conciencia humana».

Para lograr estos objetivos esta ciencia ha creado sus propias herramientas –sofronización, relajación dinámica–, pero integra también otras técnicas que tienden a equilibrar lo psicosomático, como el entrenamiento autógeno, el yoga... En realidad, pretende ser la síntesis de las búsquedas más modernas y de las tradiciones más antiguas aun mismo tiempo, para ofrecernos un método adaptado a nuestra cultura y sociedad.

Para entender mejor el método, es menester conocer algunos términos que aclaran por sí mismos el proceso elegido y los objetivos deseados.

Pequeño glosario sofrológico

Sofronización
Operación mediante la cual se sume al sujeto, gracias a la utilización de una voz monocorde, en un estado de relajación comparable al del período de presueño. *Nivel sofroliminal*

Se trata del estado de conciencia que se sitúa entre el nivel de vela y el de sueño.

Actividad intrasofrológica
Estructuración de un conjunto de fenómenos percibidos con gran claridad por la conciencia gracias aun entrenamiento metódico.

Desofronización
Recuperación muy progresiva de un nivel de vigilancia y de un tono muscular necesarios para la actividad futura.

Alianza
Relación establecida y aceptada recíprocamente entre el sofrólogo y el sujeto.

Sofroaceptación progresiva
Visualización de una situación positiva para crear condiciones óptimas de éxito para una acción futura.

Sofrorespiración sincrónica
Atención concentrada sobre la respiración y sobre la repetición de la fórmula que permite el apaciguamiento.

Protección sofroliminal del sueño
Visualización positiva de los momentos que preceden al acostarse, a la fase de presueño, al sueño, al despertar, seguido por una sofrorrespiración sincrónica.

Concretamente, una sesión de sofrología se estructura alrededor de tres grandes principios:

- La profundización de un esquema corporal, como de hecho lo proponen todos los demás métodos.
- La impregnación del psiquismo con datos positivos.
- La toma en consideración del «aquí y ahora».

En función de los objetivos, las principales técnicas sofrónicas se clasifican en dos categorías:

- Las categorías pasivas o estáticas.
- Los métodos dinámicos o activos.

Entre los métodos estáticos, podemos citar: la sofronización simple; la activación intrasofrónica, que en realidad incluye los seis ejercicios del ciclo inferior del entrenamiento autógeno de Schultz (ver el apartado B. 1 del presente capítulo); la sofrorrespiración que consiste en dirigir su atención sobre la espiración mientras se le asocia una palabra o una frase induciendo a la quietud –«paz», «serenidad» o «estoy tranquilo... absolutamente tranquilo»–, y la protección sofroliminal del sueño.

En cuanto a los métodos activos, se pueden clasificar en tres partes:

- La relajación dinámica concentrativa, inspirada en el YOGA, que permite activar las sensaciones –introceptivas, exteroceptivas y proprioceptivas–.
- La relajación dinámica contemplativa, inspirada en el BUDISMO, que también permite extender el campo de la conciencia: «el cuerpo tiene sus límites, la conciencia no tiene ninguno».[5]
- La relajación dinámica meditativa, inspirada en el ZEN, que permite al sujeto tomar conciencia de la posibilidad de entrar en simbiosis con las personas y el resto de circunstancias que le rodean. Por otra parte, puede «meditar» sobre temas como la vida o la energía.

Por tanto, la sofrología nos ofrece las claves para provocar nuestras potencialidades y así favorecer una adaptación rápida ante un agente del estrés, pero este método nos hace tomar conciencia, sobre todo, de que la primera gran adaptación es la que tenemos que hacer con nosotros mismos, es decir, borrar al máximo los disfuncionamientos entre lo somático y lo psíquico. Esta armonía solamente facilitará la adaptación para con los demás, es decir al entorno familiar, profesional o socioeconómico.

4. La eutonía de Gerda Alexander

Es en 1957 cuando Gerda Alexander crea la eutonía. Esta palabra procede del griego *eu* que significa «justo» y *tonos* que dio lugar a los términos «tonus, tono y tensión».

La eutonía, según Gerda Alexander, es por consiguiente «un estado de tonicidad armoniosamente equilibrado, en adaptación constante, y en justa relación con la situación a vivir». Esta búsqueda de un estado de equilibrio entre los movimientos, mediante la unidad de la persona y sin distorsionar las funciones vitales, se dirige exactamente hacia el sentido de una mejor relajación tal como está propuesta en este libro.

La idea de base de este método es que hay que ofrecer a la persona la posibilidad de vivir mejor las experiencias que le permiten tomar conciencia de sus posibilidades y de sus límites. Estas últimas están relacionadas con automatismos que es menester superar, para lograr «una actitud nueva ante los seres y la vida».[6]

La manera de ser de cada uno, mientras descansa o permanece en actividad, se relaciona estrechamente con lo variable de su tono, pudiendo pasar éste de la hiper a la hipoactividad. La eutonía no sólo propone tensionar los músculos de una manera tal que guarde relación directa con la acción a desarrollar, sino que también ofrece los medios para observar el cuerpo cuando está en actividad.

Así adoptamos actitudes, efectuamos movimientos más de acuerdo con el ahorro de energía, al tiempo que los realizamos con una mayor facilidad y armonía. Desde un punto de vista práctico ¿cómo se desarrolla una sesión de eutonía?

Al ser nuestro propósito descubrir a los lectores algunos métodos de relajación, no podemos pretender presentar en pocas líneas toda la riqueza y la originalidad de la eutonía, ni desde el punto de vista del contenido, ni en la manera de enseñarlo, tampoco en la de formar «eutonistas».

Por eso presentamos los grandes principios del método y exponemos los principales ejercicios, que se insertan en un proceso pedagógico progresivo y sumamente coherente.

Los tres grandes principios fundamentales de la eutonía son:

- El desarrollo de la conciencia del cuerpo.
- Las posiciones de control.
- El movimiento.

El desarrollo de la conciencia del cuerpo

Se trata de hacer un «inventario», es decir, observar cómo percibimos la imagen de nuestro cuerpo, y clasificar las costumbres que perjudican el buen equilibrio del tono.

Esta conciencia corporal se realiza gracias a la experimentación de algunos ejercicios, entre los cuales se encuentra la técnica de los contactos: tendidos boca arriba, debemos prestar atención a los puntos del cuerpo en contacto con el suelo, como los talones, pantorrillas, nalgas y espalda, pero estos contactos pueden realizarse indistintamente entre dos regiones del cuerpo del sujeto –mano en el vientre–, entre el sujeto y un objeto –mano o espalda en contacto con una pelota–, entre el sujeto y otro sujeto, y entre el sujeto y el espacio que le rodea.

Las posiciones de control

Gerda Alexander define doce de ellas que permiten comprobar las posibilidades de relajación de los músculos, aumentar su flexibilidad y hacer desaparecer los dolores locales. Esta especie de balance requiere instalarse en una posición test –por ejemplo sentados con las piernas cruzadas–, y mientras se concentra, debe deshacerse de las crispaciones, de las tensiones observadas.

El movimiento

Es la base de la eutonía, ya que este método busca la mayor libertad, la mayor facilidad posible, cualquiera que sea el movimiento. Puede ser el estiramiento espontáneo, el bostezo, hasta los gestos deportivos o profesionales. Lo importante es percibir su cuerpo antes del movimiento e incluso antes de la representación mental de éste; y después de observar su cuerpo durante el movimiento mientras se controla la velocidad para que sea uniforme.

Así la eutonía no sólo es un método de relajación, sino también una disciplina de expresión corporal. Busca constantemente favorecer la conciencia global del cuerpo e incita al sujeto a buscar la mejor manera de reaccionar ante cualquier situación. Este método se dirige a cualquier persona que desea convertirse en más libre, más autónoma y que quiere mantenerse en contacto permanente con su espacio interior, rico en sensaciones, siempre original y sin límite.

5. *El yoga nidra*

Como preámbulo, y por honradez intelectual, podemos afirmar que todos los métodos descritos anteriormente y en particular la sofrología, han sido creados por personas que han practicado el yoga o que tienen conocimiento de esta disciplina gracias a obras o tratados médicos, por ejemplo las búsquedas científicas de Thérèse Brosse.[7] Más de cuatro mil años de experiencia transmitida de generación en generación, de gurú –guía espiritual que permite pasar de la sombra a la luz– a discípulo nos han dejado una herencia fabulosa de técnicas y principios que nos permiten alcanzar estados de conciencia insospechados.

Los occidentales siempre han querido defender «el espíritu científico» ante la tradición del yoga, pero cuanto más avanzan las investigaciones –biología, neurología, psicología–, más nos apercibimos de los buenos fundamentos en que descansan las «revelaciones» obtenidas de las lecturas de textos antiguos. Efectivamente, olvidamos con demasiada frecuencia que el proceso científico no pertenece tan sólo a los modernos investigadores occidentales. Las técnicas y las recomendaciones, bien sean relativas al yoga o al zen –véanse los capítulos correspondientes–, son sumamente precisas y las distintas etapas a seguir están muy claramente definidas.

El yoga nidra no escapa a esta regla de precisión, de exigencia y de rigor. Este método es una verdadera ciencia del ser, una tecnología de los estados de conciencia llevada a cabo por un gran maestro indio: Swami Satyananda, tan brillante en el conocimiento de los textos tradicionales del yoga como en el de la filosofía o de la neurofisiología. Yogui, investigador y médico, este guru moderno nos ofrece la posibilidad, mediante el método presentado en su libro[8] no sólo de relajarnos completamente, sino también de desarrollar nuestra conciencia y ampliar nuestras potencialidades latentes. Sin embargo, en este capítulo, sólo presentamos el yoga nidra como método de relajación; las personas que deseen descubrir el yoga nidra en su totalidad deberán dirigirse a la obra citada.

El yoga nidra se practica en la posición «savasana», es decir, tendido boca arriba, con los brazos ligeramente oblicuos con respecto al tronco y utilizando mantas y cojines para una mayor comodidad. Las condiciones requeridas para una práctica óptima son las mismas que las citadas para los otros métodos: tranquilidad, luz tenue y temperatura agradable.

Los mejores momentos son por la mañana temprano, o bien antes de acostarse por la noche. Lo ideal es instalarse en yoga nidra tras una sesión de yoga. También es necesario practicar con un profesor cualificado, y en el caso de que no fuera posible se debe practicar con una cinta audiovisual como guía. En cuanto a la duración de la práctica, puede ser variable según el tiempo del que se dispone y del grado de experiencia alcanzado.

El yoga nidra se compone de cinco niveles, clasificados por orden creciente de posibilidad de interiorización, de percepciones íntimas o visualizaciones. Cuatro elementos esenciales intervienen en el desarrollo de una sesión: la rotación de la conciencia, la toma de conciencia de la respiración, el desarrollo de sensaciones y las visualizaciones de historias e imágenes.

La rotación de la conciencia

Antes de empezar este proceso, se propone realizar una toma de conciencia del propio cuerpo con la finalidad de prepararse mejor para los distintos ejercicios. El monitor después hará evolucionar la conciencia a través de las distintas partes del cuerpo en repetidas ocasiones, de una manera rápida y rítmica. «Por rotación de conciencia entendemos lo siguiente: se pide a la mente pensar en sus centros[9] durante un tiempo y en una secuencia ordenada, tal como dedos, palma, muñeca, codo, hombro...; y se procede del mismo modo siguiendo distintos circuitos bien definidos tales como el aparato digestivo, el respiratorio y las estructuras del esqueleto. Es como un pequeño tren que se desplaza sobre una vía de ferrocarril.»

La toma de conciencia de la respiración

El sujeto no fuerza su respiración, no busca modificarla sino que tan sólo se contenta con observarla. La mente se convierte así en más introvertida y el campo de conciencia se restringe mucho más.

El desarrollo de las sensaciones

Se persigue la práctica, al tiempo que permite al sujeto tomar conciencia de las distintas situaciones –ligereza, calor–, o de reactivar progresivamente ciertas emociones pasadas.

La visualización

El instructor utiliza imágenes y pensamientos para que surja el contenido del subconsciente del sujeto, que así los podrá observar como espectador. Una vez que esté bien entrenado, el practicante puede proponer al subconsciente sugerencias, para remodelar positivamente su estructura mental. Este mandato directo dado a la mente se llama Sankalpa y ha sido rebautizado aproximadamente cuarenta siglos después por Schultz como «las diez etapas del ciclo superior», y por Caycedo como la «sofroaceptación progresiva». Los términos han cambiado, las aproximaciones son a veces distintas, pero los objetivos permanecen inmutables: apoderarse de su destino, suprimir los «prejuicios» que impiden la autorrealización del ser humano.

Esta especie de «ecología interior» se puede llevar de una manera racional y sistemática obteniendo como resultado una doble ventaja: la consecución rápida de un estado de relajación y un mejor conocimiento de esta especie de iceberg que llevamos dentro, llamado «subconsciente», que es el lugar en el que se esconden todos nuestros deseos, tensiones y sufrimientos.

6. El zen

«Hace veinticinco siglos, en la India, no muy lejos del Ganges, un hombre medita sentado debajo de una higuera... completamente inmóvil, tranquilo, como una montaña... Se ha convertido en Ruda, lo cual significa en sánscrito «el despertado». Más tarde consigue dedicar toda su existencia terrestre a la transmisión del secreto. Éste es el secreto: empezar por sentarse. En la postura del Ruda. Concentrado en el mantenimiento del cuerpo y la respiración. La vía es de una simpleza perturbadora.

Solamente sentarse.»[10] Tal es el origen del Zen que significa «meditación sin meta, concentración». Palabra derivada del sánscrito Dhyanaque ha dado lugar al vocablo chino Tch'an y posteriormente al Zen japonés.

Por tanto, la práctica del Zen consiste simplemente en sentarse, sin objetivo alguno y sin espíritu de provecho, en una postura y concentrarse en la respiración. El Zen no puede encasillarse bajo un único concepto, ni limitarse al pensamiento, ya que ante todo se trata de una práctica, por lo que intentaremos exponer los grandes principios que rigen esta disciplina.

La postura

Sentado en el centro de un cojín redondo –zafú–, en la posición del loto –o medio loto o en caso de imposibilidad, con las piernas cruzadas–, el practicante mantiene su espalda completamente recta empujando «la tierra» con las rodillas y «el cielo» con la parte superior de la cabeza. Una vez adquirida la posición, se debe colocar el mentón lo más hacia atrás posible, al tiempo que, con las palmas de las manos colocadas hacia arriba en contacto con su abdomen –la mano izquierda sobre la derecha–, los dedos pulgares se presionan entre sí, sin excesiva fuerza, por sus respectivas puntas de manera tal que permanezcan horizontales. La mirada ha de fijarse aun metro de distancia aproximadamente con los ojos semicerrados.

La respiración

No es comparable a ninguna otra. En efecto, el adepto se concentra en cada respiración para que sea suave, lenta, profunda y silenciosa. Además debe ejercer una potente presión sobre los intestinos.

La postura de pie al caminar o Kin Hin

La columna vertebral ha de mantenerse recta, el mentón lo más metido hacia adentro que se pueda, con la nuca estirada, fijando la mirada a tres metros del suelo aproximadamente, el puño izquierdo debe presionar el pulgar izquierdo y se coloca en el plexo solar. La mano derecha debe cubrir al puño izquierdo mientras ambas manos durante la espiración presionan el esternón. El adepto se concentra entonces en su forma de caminar, que debe ser rítmica y lenta y hace coincidir cada paso –cuando un pie entra en contacto con el suelo– con la espiración.

El silencio

El yoga y el Zen, con técnicas distintas, buscan volver a encontrar el silencio interior de que se compone nuestra naturaleza profunda.

El estado de espíritu

El verdadero Zen, como ya hemos dicho anteriormente, se practica sin motivación, sin meta y sin tan siquiera buscar «el despertar» –Satori en japonés, Samadhi en sánscrito–. Así nos hacemos receptivos, sumamente atentos y podemos decir que «pensamos con el cuerpo», es decir que todas nuestras células están impregnadas de calma, armonía y equilibrio. Se superan las dualidades y las contradicciones sin gastar energía.

El aquí y ahora

El Zen enseña que debemos estar plenamente atentos a las circunstancias de cada instante, a la menor faceta y gesto de la vida cotidiana.

¿Se puede conciliar una vida profesional y la práctica del Zen?

La respuesta del Maestro Deshimaru al respecto es muy clara: «Es precisamente porque nuestra vida es agitada, que la práctica del Zen le proporcionará el mayor de los beneficios. Hará mucho mejor lo que tiene que hacer, ya que se concentrará y se liberará de un montón de preocupaciones inútiles. Apreciará su vida diaria con una nueva mirada».[11]

En fin y sobre todo, es el «soltarse» una de las características fundamentales del Zen. Muy cercana a la noción de relajación, la de «soltarse» se dirige tanto al «vehículo corporal» como a la mente. En efecto, la contracción es un fenómeno natural, pero no así la crispación. La vigilancia de todos nuestros actos diarios debe acarrear gestos simples, relajados, espontáneos, libres, que no creen tensión ni cansancio. En cuanto a la mente, tiene que colocarse en una tensión sostenida y una disponibilidad activa. Los pensamientos ya no vagabundean como monos borrachos o caballos salvajes que requerían un gasto inútil de energía.

7. Los masajes

La tradición del masaje es sumamente antigua y la encontramos en prácticamente todos los países del mundo, bajo diversas denominaciones.

Utilizada desde un punto de vista de la relajación, la práctica de los masajes es sumamente simple, fácil de aprender y de transmitir. Puede ser objeto de una práctica diaria y familiar; en cambio, cuando se realiza con una meta terapéutica, el masaje requiere una formación sólida y rigurosa.

Gracias a distintas maniobras como los roces, fricciones, presiones y vibraciones; el masajista va zona por zona, centímetro a centímetro deshaciendo las tensiones y los nudos del sujeto que trata. Éste sentirá muy rápidamente sus efectos para entrar posteriormente en un estado de relajación y de paz interior. Sin embargo, es posible darse masajes así mismo, gracias por ejemplo a la técnica del DO-IN (véase el capítulo «Cómo relajarse gracias a los masajes»).

El lector interesado por estas técnicas puede dirigirse a nuestro libro anterior: *Yoga a deux et massages relaxants*.

8. El tai chi-chuan

Más que una simple gimnasia, el tai-chi-chuan es un verdadero arte de vivir y de encontrarse mejor. Esta disciplina energética dulce es una auténtica meditación, una relajación en movimiento y un baile al ralentí. En ese arte, se compara al hombre con un árbol, al tronco recto y sólido, a las raíces profundas –los pies–, ya las ramas extendidas –los brazos–. Los unos y los otros, flexibles, se mueven en todos los sentidos, pero siempre permanecen unidos al tronco estable y vertical.

Varios siglos antes de Jesucristo, los discípulos del filósofo chino, Lao Tse –fundador del taoísmo–, practicaron técnicas de flexibilización que imitan ciertas posturas animales. Parece que este juego de los animales sea el antepasado lejano de todas las disciplinas de artes marciales y del el tai-chi-chuan.

Una leyenda atribuye la paternidad de este «arte de la acción suprema» a un monje taoísta del siglo XIII: Chang San Fong –«el maestro de los tres picos»–, quien se habría inspirado en la táctica defensiva y de movimientos lentos y circulares de una serpiente cuando era atacada de manera continua y desordenada por un ave. Habría visto en este combate la simbolización de la fuerza y la debilidad, de la concentración y dispersión de energía, y de la sombra y la luz; en realidad, las dos fuerzas positivas y negativas de la vida: el yin y el yang.

Practicada todos los días por los chinos, esta técnica de «larga vida» forma hoy día parte del código de salud en China y desde hace algunos años cada vez capta la atención de más occidentales.

El tai-chi-chuan concede prioridad al pensamiento y no a la fuerza, gracias a movimientos efectuados mediante la concentración, coordinación y relajación puestas en consonancia con una profunda respiración abdominal. Se desarrolla sin interrupción ni discontinuidad, al ser, el cuerpo y el espíritu, llamados en todas las direcciones a un mismo tiempo. La sucesión de figuras tiende a restablecer la armonía entre el hombre y el universo ya deshacer los nudos que impiden la libre circulación de la energía vital.

Este «boxeo consigo mismo» –Chuan significa «puño»–, no requiere fuerza especial, al tiempo que no presenta dificultades técnicas especiales, salvo, tal vez, la necesidad de una buena memorización, pero ésta se desarrolla con la práctica.

El tai-chi-chuan se compone, según los distintos autores, de entre ochenta a ciento diez secuencias = movimientos de tierra, de hombre y de cielo. La sucesión de ochenta y cinco secuencias –Escuela oficial de Pekín- dura entre quince y veinte minutos y está impregnado de una intensa poesía: «la grulla blanca despliega sus alas», luego «las manos moviéndose como las nubes» o «el tigre en la montaña».

Gracias a la lentitud de los movimientos, el tai-chi-chuan no acelera nunca el ritmo cardiaco sino que, en cambio, regulariza y mejora la circulación sanguínea. Acelera los reflejos, mejora la memoria y desanuda las articulaciones. Sobre todo permite controlar la energía, la concentración y suprime la irritabilidad y la impaciencia. También favorece las relaciones con los demás, mientras al mismo tiempo puede convertirse, en caso de ataque, en un admirable arte de autodefensa, que hace que la fuerza del adversario se vuelva contra sí mismo.

C. Las condiciones previas para una práctica eficaz

Generalmente, cuando se lleva a cabo correctamente una sesión de relajación, los efectos son casi inmediatos. Sin embargo, esta eficacia puede reforzarse gracias a la observancia de algunas reglas muy simples y, a menudo, dictadas por el sentido común.

1. El lugar

Debe estar bien ventilado, de tal manera que no nos incomoden los malos olores al mismo tiempo que evitamos la respiración de un aire viciado. Se puede utilizar el incienso a condición de que, obviamente, se soporte su olor y que procure una sensación agradable, acarree un estado de paz, tranquilidad y bienestar. Este lugar puede ser una habitación de su casa, reservada a la práctica de la relajación o a otras disciplinas que favorezcan «la autoconcentración», la toma de conciencia y el bienestar, pero puede ser simplemente también un rincón del cuarto de estar o del dormitorio. En lo que se refiere a la práctica en un lugar reservado al efecto, éste no deberá ser demasiado amplio y sobre todo debe ser silencioso, tranquilo y relajante.

Se deberá regular la temperatura de la habitación de manera que procure un reposo muscular en posición de relajación. Sin embargo no vacilarán en aumentar la temperatura al final de la sesión, ya que es el momento en el que el cuerpo suele tender a enfriarse. Si no se puede aumentar la temperatura ambiental, bastará con abrigarse con una manta o resguardarse en un saco de dormir.

2. El momento

Lo ideal es practicarlo por la mañana temprano, justo después de un programa diario, incluso si es corto, de estiramientos tales como el yoga, stretching, gimnasia dulce... Se flexibiliza la columna vertebral, se suprimen las eventuales tensiones y el cuerpo, entonces, se predispone a la relajación con la finalidad de recargarse de energía.

Sin embargo, durante el día, les aconsejamos que se relajen lo más posible (véase el capítulo «Cómo relajarse en la vida diaria»).

En cuanto a la relajación por la noche, antes de dormir, sólo puede practicarse si tienen facilidad para conciliar el sueño y si están bien entrenados para la relajación. En efecto, en el caso contrario, estarían obligados a concentrarse correctamente y su mente tendría que hacer demasiados esfuerzos que le impedirían disfrutar de un sueño reparador.

3. El atuendo

Globalmente, debe ser flexible y cómodo para permitir una gran libertad de movimientos. El chandal o el pijama son atuendos ideales, sin embargo pueden utilizar su ropa habitual si se encuentran cómodos con ella. En este caso, aflójense el cinturón del pantalón, la corbata y desabróchense el cuello de la camisa; de esta manera se pueden relajar durante algunos momentos en la oficina. Después de una actividad física o de la práctica de algún deporte, se quitarán los zapatos para que los pies no se sientan demasiado oprimidos.

4. La duración

Varía en función del tiempo del que disponen y de su nivel de entrenamiento. Tienen que saber que serán capaces de relajarse completamente en profundidad, en muy poco tiempo, aproximadamente entre cinco a seis minutos, pero también se podrán colocar en una posición de relajación durante un largo espacio de tiempo, entre una hora y una hora y media (véase «Ejemplos de relajación»). En este caso, se producirá un cambio de estado de conciencia y deberán poder volver al encontrar «la conciencia corriente» gracias a una transición dulce, al prolongar la respiración y estirarse.

5. La higiene alimenticia

Con respecto a nuestro modo de vida, globalmente caracterizado por el sedentarismo, parece obvio que comemos demasiado, muy rápido y mal. Pocas personas han disfrutado de una auténtica educación dietética y hoy está demostrado que una mala alimentación es una de las principales causas de muchas enfermedades: hipertensión, estreñimiento, cálculos vesiculares, algunos cánceres...

Una alimentación rica en salsas y grasas, con demasiados azúcares y carnes puede crear un estado de estrés permanente que perturbe el gran equilibrio psicosomático.

No obstante no se debe cambiar bruscamente de modo de alimentación. Los regímenes draconianos son absolutamente inútiles: una dieta demasiado restrictiva crea, a mayor o menor plazo, tensiones y frustraciones, o sea estrés.

Nuestro comentario no tratará el régimen alimenticio –enhorabuena a la persona que encuentre «el» régimen–, sino de las condiciones en que se ingieren los alimentos. Generalmente, «tragamos» las comidas con demasiada celeridad ¿Tomamos realmente el tiempo a mediodía, por ejemplo, de instamos cómodamente ante la mesa para recargarnos y relajarnos? Sin duda conocen la respuesta: es, en la mayoría de los casos negativa. Para luchar contra esta tendencia, intenten ser vigilantes en cuanto a:

- La masticación: tiene que ser lenta, completa, para favorecer la digestión. Si tiene cuidado de esto y la prolonga, afinará su sentido del gusto y volverá a descubrir, quizás, el placer de comer cosas simples, pero que contienen un auténtico sabor. Se convertirá así en una persona cada vez más exigente, no por moda o esnobismo, sino simplemente porque sus pequeñas eminencias más o menos sobresalientes que se elevan en la superficie de la mucosa –o si lo prefieren, sus papilas– tendrán la posibilidad de hacer correctamente su trabajo.

- El momento de la alimentación: la radio, la televisión y las conversaciones ruidosas forman hoy día el entorno de nuestras comidas tomadas con velocidad y ahora bien, hay que saber que el hecho de alimentarse requiere un gasto de energía! Por tanto, si añadimos más debido aun mayor requerimiento de nuestro sistema nervioso, no es extraño que levantemos la mesa con más cansancio todavía. La tranquilidad y la relajación son las condiciones capitales para responder correctamente a las necesidades del metabolismo de base.
- La colocación del cuerpo: en particular la posición de la espalda, que debe mantenerse perfectamente recta, sin tensiones, para que se coloquen correctamente los órganos que participan en la digestión. Puede hacer el experimento ahora mismo: coloquen la parte inferior de la mano –el lateral de la palma y del dedo meñique– entre el plexo y el ombligo después de haber estirado la columna vertebral. Una vez hecho esto dejen que su espalda se hunda: ¡Acaban de localizar «una barra en el estómago»!

Después de cada comida, dediquen aunque sólo sean uno o dos minutos para colocarse en una de las posiciones de relajación descritas en este libro, y seguro que le ayudará a favorecer la digestión. Basta con, por ejemplo, permanecer sentado en una silla, con la espalda recta y respirar tranquilamente, favoreciendo la respiración abdominal; luego, con el entrenamiento, podrán incluso visualizar el aparato digestivo, el estómago... para crear condiciones aún más ventajosas para la transformación de la materia en energía.

El interés de la relajación también reside en el hecho de permitir disminuir las necesidades energéticas del organismo, que esté en reposo o en actividad. En efecto, la nutrición es ante todo necesaria para responder a las necesidades de un metabolismo de base. Ahora bien, las técnicas de autorregulación permiten ahorrar energía al equilibrar el tono muscular, y desacelerar el ritmo cardiaco así como los movimientos respiratorios.

6. La higiene corporal

A la observancia de estas reglas alimenticias de base, se pueden añadir un conjunto de prácticas que se refieren a los cuidados del cuerpo: ducha, sauna, limpiezas internas y confianza en los alimentos naturales, los cuales constituyen los principales elementos de la higiene corporal.

- La ducha, hoy día perfectamente integrada en las costumbres de un gran número de personas, sin embargo no se emplea tan frecuentemente como fuera de desear, es decir al menos una ducha diaria. Ahora bien, después de un día de trabajo o de entrenamiento y práctica de actividades físicas y deportivas, una ducha de agua caliente –entre 35 y 45 °C– constituye un excelente medio de recuperación. En efecto, tiene una acción de vasodilatación sobre el sistema circulatorio periférico y permite una relajación muscular rápida y duradera. Además, ducharse durante al menos diez o quince minutos puede facilitar el acceso al sueño.

- Hidromasaje. Constituye también un excelente medio para obtener una total y absoluta relajación muscular. La temperatura del agua, de 39 °C, procura una sensación de importante bienestar acentuada por la propulsión, en todo el cuerpo, de potentes chorros de agua caliente.
- Sauna. Constituye desgraciadamente una práctica muy poco extendida, por lo menos en las naciones de nuestro entorno, mientras que en los países escandinavos, incluso antes de construir una casa, se elige primero el lugar en el que se ubicará la sauna.

¿En qué consiste esta «extraña» práctica? Se trata simplemente de tomar un baño de aire caliente y seco, al provenir el vapor del encuentro de una pequeña cantidad de agua con un cuerpo incandescente. Después de algunas sesiones de adaptación, las personas colocadas cómodamente en esta habitación isotérmica, gozan de un verdadero baño de relajación. En efecto, la sauna provoca una abundante sudoración que permite la eliminación de las toxinas, y también una importante variación de la presión arterial. Por esta razón esta práctica resulta a veces controvertida, pero utilizando el sentido común y la práctica moderada dichas controversias carecen de sentido. La sauna debe ser moderadamente utilizada –una o dos sesiones semanales de entre cinco y diez minutos a lo sumo– además de ser necesario un reconocimiento médico previo. Las pérdidas de agua y de sales minerales se compensarán por la ingestión de bebidas adecuadas.

- Los elementos naturales. No sólo aportan una energía indispensable, sino que también ayudan a mejorar la salud; su utilización, correctamente dosificada, aporta de inmediato un estado de sosiego, de bienestar y de tranquilidad.

  El hombre de hoy día, que padece de los males de la ciudad, tales como los ruidos y lugares cerrados, debe intentar oxigenarse en el campo o bañarse en el mar, andar con los pies desnudos en la playa o sobre el césped mojado por el rocío matutino. El agua, el aire y el sol son las tres fuerzas con las que debemos armonizarnos.
- Las limpiezas internas, consisten en procesos de purificación rigurosamente descritos en la práctica del yoga: limpieza de la nariz, del aparato digestivo, del esófago, del estómago, de la lengua..., pero la descripción de estos ejercicios superan el marco de este estudio, por lo que remitimos a aquellas personas interesadas en los mismos a nuestro anterior trabajo.[12]

7. Una disciplina regular

Los ejercicios físicos variados, los estiramientos diarios y las respiraciones conscientes y profundas no pueden sino favorecer un estado general de bienestar, una fatiga sana y un tono apropiado. Numerosas disciplinas, hoy día muy extendidas, están al alcance de un mayor número de personas a las que se les propone, tras la finalización de los distintos ejercicios, un regreso a la tranquilidad interior, a la relajación. Tales prácticas –yoga, stretching, gimnasia dulce, aikido–, contribuyen a tomar conciencia de las eventuales o posibles malas posturas corporales y proporcionan al individuo los mecanismos para corregirlas.

Permiten disminuir un estado de tensión muscular y física, y enseñan cómo administrar mejor y ahorrar sus fuerzas y energías.

Ya sea por ocio o en competición, la disciplina elegida debe coincidir con sus gustos y ser una fuente de bienestar, de placer y de relajación. También será una buena ocasión para que su médico le someta aun chequeo: verificación del corazón, de la presión arterial, del estado tanto de la columna vertebral como del de las extremidades...

Cualquiera que sea la práctica adoptada, tiene que ser progresiva para preparar los músculos aun incremento de actividad. Se utilizarán las articulaciones respetando los movimientos naturales y evitando, durante las primeras sesiones, los ejercicios que supongan una excesiva flexibilización de las mismas. Esta preparación, indispensable desde el punto de vista fisiológico, puede favorecer del mismo modo la desaparición de un eventual estrés psicológico.

Si es importante saber prepararse para el esfuerzo, también lo es saber recuperarse: nunca abandone bruscamente una actividad; efectúen por ejemplo estiramientos o ejercicios respiratorios.

Luego practiquen masajes –véase el capítulo correspondiente–, o relájense de acuerdo con el lapso de tiempo del que se disponga. Por ello les proponemos en esta guía práctica ejercicios que le permitirán estirarse de un modo consciente y eficaz. Inspirados en el yoga y el stretching, conservan la movilidad de las articulaciones, favoreciendo de este modo los actos de la vida profesional y los gestos cotidianos.

Sin embargo, si es necesario buscar la flexibilización, también es indispensable reforzarse muscularmente, es decir aumentar la potencia de contracción muscular. Este mantenimiento impedirá, por ejemplo, el cansancio después del menor esfuerzo; el reforzamiento muscular es por tanto un medio sano y bastante simple de aprender a desarrollar economías de energía. Permite una adaptación fácil a distintos tipos de esfuerzo y además condiciona el buen equilibrio orgánico –por ejemplo el mantenimiento de las vísceras gracias al trabajo de los abdominales–, favorece la utilización y la degradación de las materias orgánicas –disminución de la masa de grasa excesiva– y puede prevenir algunos accidentes, como ciáticas y lumbagos.

8. La responsabilidad del monitor

Se aconseja vivamente empezar el entrenamiento a la relajación con una persona cualificada, es decir con alguien que tenga una sólida preparación y sobre todo que posea una muy sólida experiencia profesional ¿Qué son diez años de estudios para alguien que desea dominar un arte o una ciencia?

Así, el formador a quien se dirija deberá reunir cinco cualidades esenciales:

- Estar él mismo siempre en formación, es decir, saber ser alumno.
- Tener un comportamiento, una forma de ser que no esté en contradicción con su enseñanza.
- Ser humilde.
- Estar disponible y ser abierto.

En un primer momento, el formador –o monitor– deberá adaptarse al grupo al que se dirige o a una única persona si se trata de una clase particular. Saber adaptarse significa se capaz de impartir una enseñanza muy sencilla de entender. En efecto, los alumnos deben poder asimilar progresivamente las bases técnicas de la relajación para poder algún día ser absolutamente autónomos y así poseer capacidades reales de autorregulación.

El monitor también deberá dar directrices claras, precisas, con un tono de voz dulce, pero firme. En efecto, la mente tiene que estar alerta y vigilante al tiempo que lo suficientemente predispuesta para almacenar cada instrucción.

Si realmente le es imposible encontrar un profesor, entonces deberá utilizar una cinta audiovisual[13] o utilizar la cinta entre dos sesiones guiadas por un monitor. La grabación de la sesión deberá haber sido realizada por un monitor cualificado, por una persona en la que confíe o por usted mismo; en este caso utilizará el ejemplo propuesto, véase «ejemplo de relajación».

Practique regularmente una disciplina que favorezca
el proceso respiratorio, la colocación del cuerpo, la captación
de energía y la ampliación de la toma de conciencia.

D. Los efectos de la relajación

Es en función de tal o cual efecto perseguido que el monitor o el lector podrá usar uno de los numerosos ejercicios descritos en este libro.

Ya hemos explicado la noción de tono. En el estado de relajación, el sujeto puede obtener una percepción de sí mismo mucho más clara y profunda que durante el estado de vela corriente, pero, con entrenamiento, también es posible modificar a su antojo el tono general, tal corno un músico toca su instrumento, y dominar todas sus facetas. El potencial de energía que hay en cada uno de nosotros se puede utilizar a gusto de cada cual, y esta extraordinaria posibilidad debería ser de interés tanto para los deportistas de alto nivel como para el «más común de los mortales» para, por ejemplo, dejar de gastar inútilmente energía en los distintos actos de la vida diaria.

Ese ahorro de energía viene unido a una disminución e incluso, si es posible, a una supresión de las tensiones inútiles que se revelan bajo la forma de contracturas o gestos parásitos. Todas esas contracciones, por pequeñas que sean, se añaden las unas a las otras, ostensiblemente, y día tras día, provocando una huida de energía muy importante; el cuerpo se tensa, impidiendo cualquier movilidad de las articulaciones y entonces los gestos se descomponen, careciendo de gracia y armonía.

Sin embargo, estas tensiones no son sólo físicas. Obtener un cierto dominio de su cuerpo, osea de su «vehículo corporal», procura numerosas ventajas. Lograr dominar su mente permite acelerar la evolución personal y convertirse en el dueño de su destino. La relajación, gracias a una disciplina libremente aceptada, permitirá dirigir su mente que, en el estado normal funciona muy a menudo como los caballos indisciplinados o un mono borracho. Los distintos ejercicios propuestos en este libro, en un primer momento transformarán al sujeto en testigo: testigo de sus tensiones, testigo del incesante flujo de los pensamientos e imágenes que se imprimen en la pantalla mental como una película. En un segundo momento, con entrenamiento, mientras sigue siendo testigo, el sujeto puede convertirse en el escenógrafo y así ser ¡el verdadero actor de su vida! En efecto, veremos que es posible evocar cualquier imagen y sugerir a la mente tal o cual pensamiento.

Otra ventaja de la relajación consiste en la posibilidad de observar de manera muy precisa el mundo de las sensaciones y emociones. En la mayoría de los casos, el ser civilizado no habita sino «dentro de su mente». Al estar totalmente apartado del mundo de las sensaciones, ya no sabe apreciar las alegrías simples como las que pueden procurar el calor del sol en la piel o una ligera brisa marina; alejado de sus raíces, ha olvidado todo el placer sano que produce el caminar con los pies desnudos sobre el césped humedecido por el rocío de la mañana. Sin embargo, tampoco se puede convertir en el esclavo de sus sensaciones y buscarlas de una manera desenfrenada. Al igual que deseamos ser realmente libres, no podemos ser simples muñecas dominadas por tal o cual emoción en concreto. En efecto ¿cómo se puede buscar la felicidad si sólo nos dejamos guiar por el odio, los celos, el miedo o la ira? Gracias a las técnicas de relajación, emergerán a la superficie las emociones, que se han observado con toda objetividad para de esta manera podemos deshacer posteriormente de las mismas.

Constantemente dirigida hacia el exterior, continuamente la mente recibe mensajes mediante los sentidos, particularmente del oído y la vista. Se trata de funciones indispensables para la adaptación del individuo. Las señales se transmiten mediante el sistema nervioso. La transformación y el tratamiento de la información se modelan en función de las actitudes y motivaciones de los individuos. De esta manera, cualquier organismo recibe del medio en el que se desenvuelve distintas formas de energía luminosa, térmica y mecánica. Gracias a un particular código, esta energía se transforma en una señal que provoca una respuesta, es decir, un comportamiento motor. Gracias a la relajación, el individuo se convertirá en más atento con lo que facilitará la particular recepción de diversas informaciones. Al estar relajado, podrá tratar la información de mejor manera, analizarla y seleccionar únicamente lo que le pueda resultar de utilidad. Mediante las técnicas de visualización, hasta podrá anticipar la información. El ejemplo más clásico es el de los esquiadores, quienes antes de un descenso en competición, visualizan «mentalmente» el recorrido a efectuar y, obviamente, posteriormente flanquean los obstáculos con mucha mayor facilidad.

Por otra parte, estas informaciones que nos llegan, ponen constantemente en vilo el sistema nervioso. Mediante la relajación, se desconectarán los nervios motores y sensitivos, lo que acarrea un descanso y por ende una «recarga» del sistema nervioso.

Otro efecto de la relajación es la des aceleración del funcionamiento de las funciones vitales. «Se produce una desaceleración de todo el metabolismo. Nos lo indica una reducción del consumo de oxígeno, un aumento de la resistencia –eléctrica– de la piel, una disminución del ritmo cardiaco así como una mayor reducción de las constricciones del sistema circulatorio. Este flujo suplementario de sangre aporta oxígeno a los músculos, lo que permite disminuir el tipo de lactato acumulado durante el ejercicio muscular. Esto es importante ya que experimentos médicos han demostrado que el aumento de lactato en el organismo se traducía en un exceso de fatiga y ansiedad».[14] Finalmente el individuo, mediante la relajación, llegará a estar más disponible, tanto muscularmente como mentalmente, lo cual le proporcionará una mayor apertura de espíritu, pero también estará más disponible para con los demás: es necesario alcanzar la armonía consigo mismo para pretender poder establecer relaciones verdaderas, sinceras y profundas con su entorno.

También es resaltable la circunstancia de que la relajación puede tener aplicaciones terapéuticas muy eficaces: puede ayudar a luchar contra los disturbios del sueño, contra la depresión y todas las enfermedades crónicas que ésta acarrea; puede ayudar a disminuir, incluso a suprimir, las dependencias de los tranquilizantes o de cualquier otro tipo de drogas –utilización de las técnicas de relajación en las curas de desintoxicación, en particular las sugestiones conscientes y las visualizaciones positivas–. Del mismo modo la relajación puede desempeñar un papel muy positivo en el tratamiento de la hipertensión y de las enfermedades cardiovasculares.

Capítulo 2
Las distintas posturas de relajación

A. Forma de encontrar la postura adecuada para la relajación

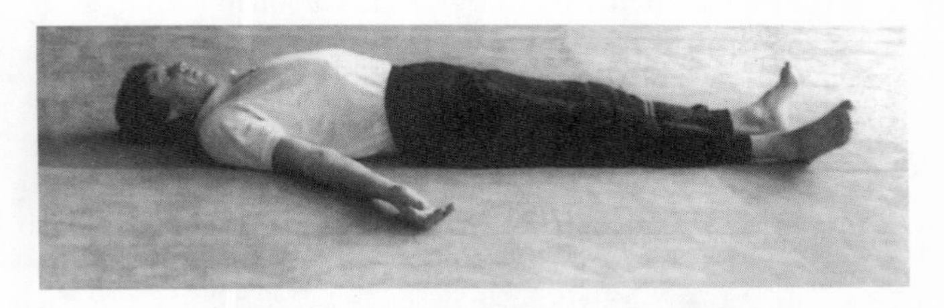

1. Una de las mejores posiciones para relajarse completamente es cuando uno se tiende boca arriba. Sin embargo, si por cualquier motivo no se puede colocar de esta manera (hipertensión, problema cervical o lumbar o embarazo) tiene la posibilidad de elegir entre otras numerosas posiciones.

2. Sentados en el suelo con las piernas en paralelo, la espalda tiende a caer hacia atrás, bajando paulatinamente, vértebra a vértebra. Para frenar esta progresión, coloquen las manos debajo de las rodillas o debajo de los muslos.

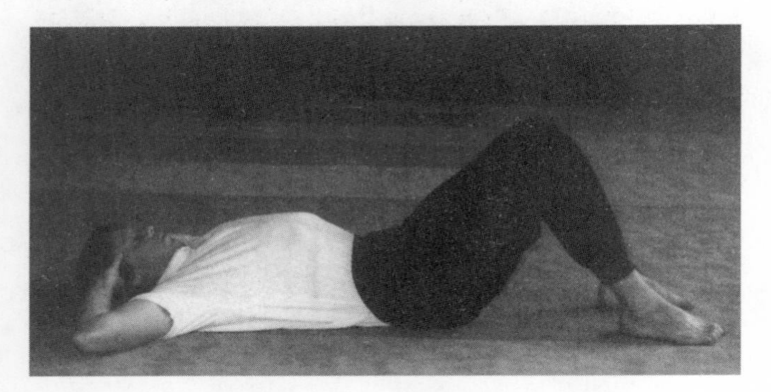

3. Una vez el tronco tendido sobre el suelo, se debe poner el mentón lo más hacia atrás posible, en la garganta, para disminuir la curva cervical. Para conseguirlo y al mismo tiempo para estirar correctamente el cuello, coloquen los dedos detrás de la cabeza para favorecer el estiramiento hacia atrás. Las piernas deben permanecer dobladas y los pies apoyados completamente en el suelo, de la misma manera que la parte baja de la espalda, la cual debe quedar en contacto con la superficie en su integridad.

4. Para evitar curvarnos al estirar las piernas, la solución es la de bajar primero una pierna, dejándola caer hacia un lateral y después la otra. En efecto, si dejamos caer o bajamos las dos piernas simultáneamente corremos un riesgo mayor de curvarnos.

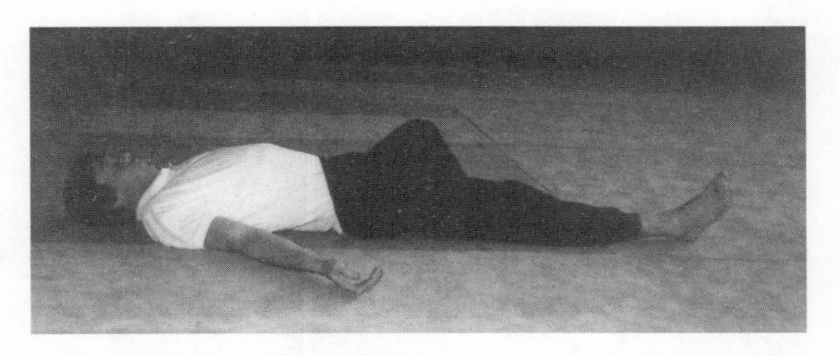

5. Una vez colocado en la posición adecuada, pongan los brazos ligeramente oblicuos en relación al tronco, con las palmas orientadas hacia arriba, pero sin forzar la supinación. Dejen caer los pies hacia afuera, debiendo permanecer la piernas separadas entre sí a una distancia un poco mayor que la de la anchura de las caderas.

B. Otras posturas de relajación

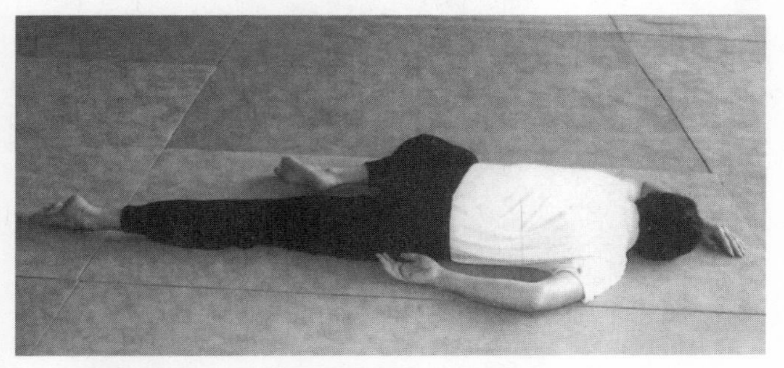

6. Si no se siente a gusto boca arriba, colóquense en la posición llamada del «durmiente».

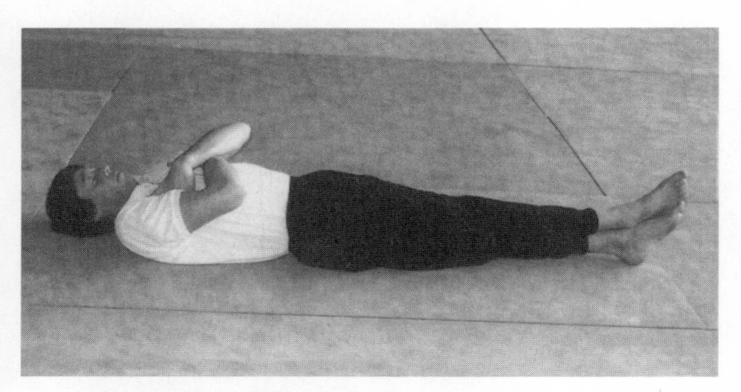

7. Otra posición, la llamada de la «momia», es aquella en la que los brazos permanecen cruzados y los dedos se colocan bajo las axilas; las piernas también deben estar cruzadas. Esta posición tiene la ventaja de conservar una mayor cantidad de calor interno durante la relajación.

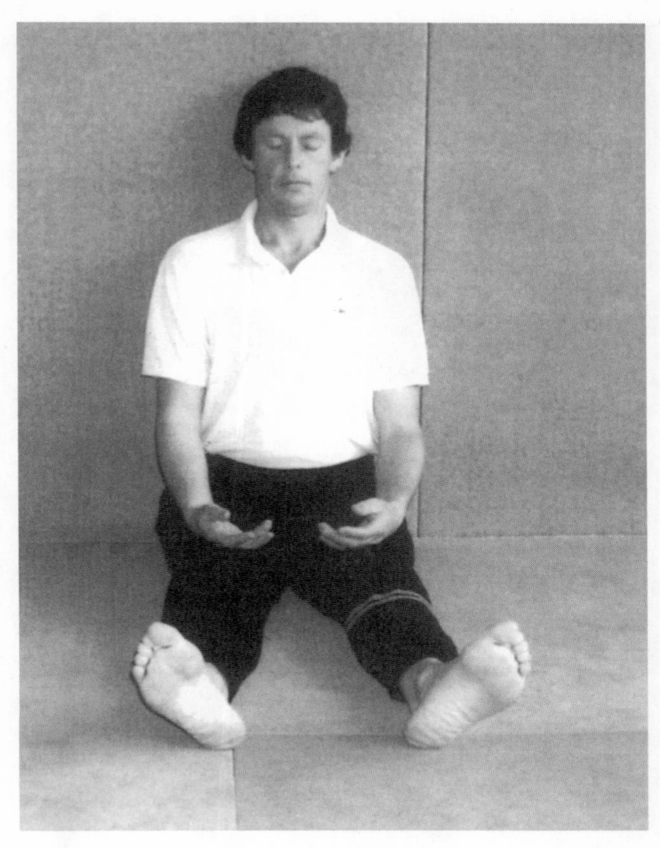

8. La espalda contra la pared.

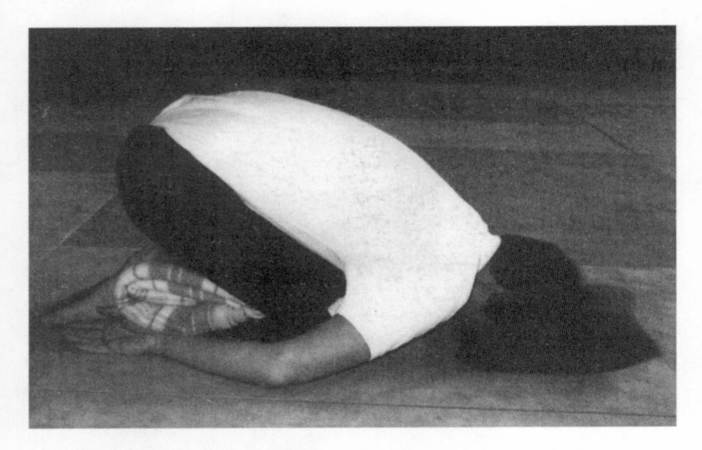

9. Un cojín debajo de los muslos y otro entre la frente y el suelo, si así lo estiman oportuno.

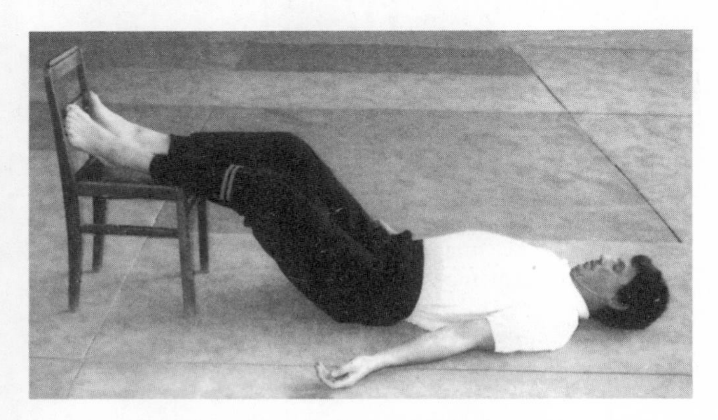

10. En caso de tener problemas en la parte inferior de la espalda, deben colocarse cómodamente en el suelo con las piernas dobladas sobre una silla.

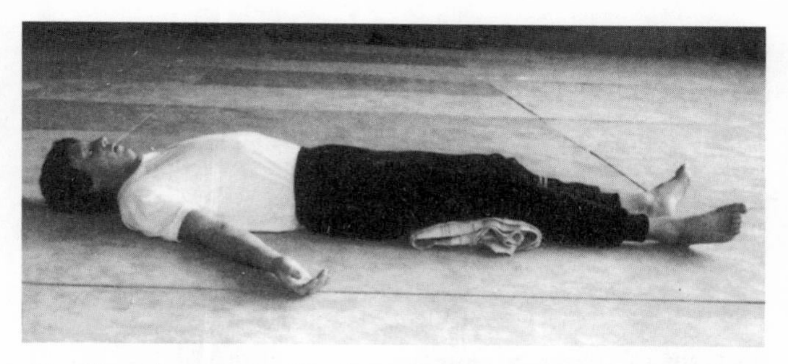

11. Si no tiene la espalda demasiado curvada, en lugar de una silla, utilice una manta doblada o un cojín para colocarlo debajo de los muslos.

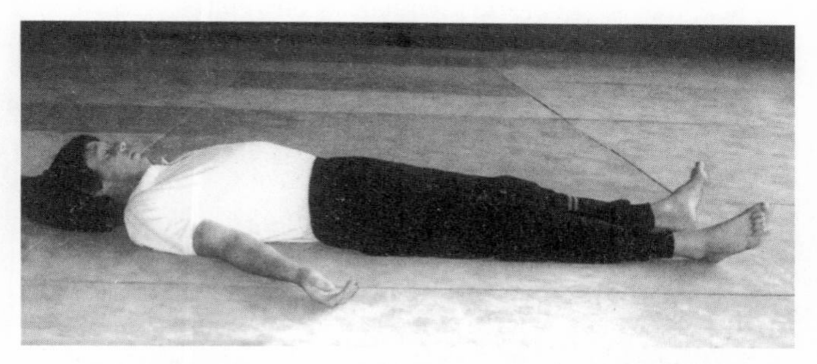

12. En caso de molestias cervicales, coloquen un cojín o una manta doblada debajo de la nuca.

Capítulo 3
Los ejercicios prácticos

No por que se lea el manual del perfecto nadador se aprende a nadar.

A. Cómo prepararse para la relajación

Para introducirse más fácilmente en un estado de relajación, efectuarán ejercicios de estiramiento activo, así como contracciones y relajaciones.

Durante todos estos ejercicios el principio de entrenamiento será el siguiente:

- Al inspirar, estiramiento de una parte del cuerpo.
- Con los pulmones llenos, más estiramiento o contracción de entre seis y siete segundos.
- Al espirar, debe dejar el cuerpo «muerto».

Ejercicio 1
Estiramiento de un lado del cuerpo

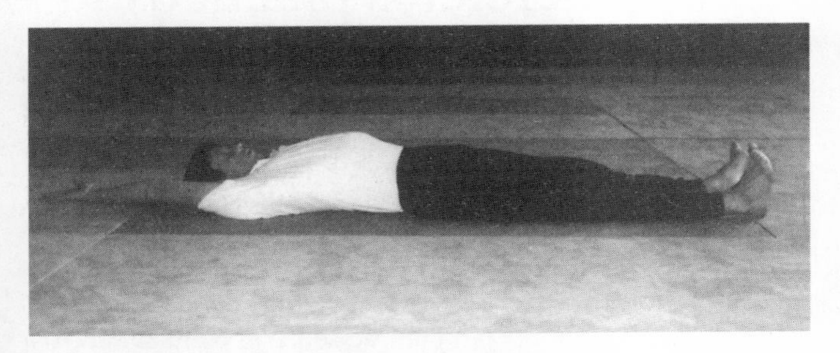

Si se encuentra tendido boca arriba, coloque el brazo derecho, al inspirar, en la misma línea del flanco derecho, como continuación del mismo hacia arriba, estirando los dedos lo más posible. Al mismo tiempo empuje hacia adelante lo más posible con el talón derecho, cuyo pie debe permanecer perpendicular con respecto al suelo, con los dedos orientados hacia la cara. Con los pulmones llenos estire todo lo que pueda todo el lado derecho de su cuerpo. Permanezca estirado de seis a siete segundos y luego dejen el cuerpo «muerto», dejando jugar su papel a la elasticidad natural de los músculos y los ligamentos.

Ejecutar tres veces este ejercicio.

Una vez realizado debe comparar el lado derecho con el izquierdo partiendo de las tres premisas siguientes: la temperatura, el peso y la longitud.

Repita la operación con el lado izquierdo después de haber colocado el brazo derecho ligeramente oblicuo en relación con el tronco.

Si está sentado en una silla, el principio es el mismo: estire los brazos hacia el cielo y coloque la pierna correspondiente perpendicularmente a la silla. Con los pulmo-

nes llenos debe procurar realizar un estiramiento mayor. Al espirar deje muerto el brazo y la pierna.

Realice tres veces el ejercicio con ambos lados del cuerpo.

Ejercicio 2
Estiramiento de todo el cuerpo

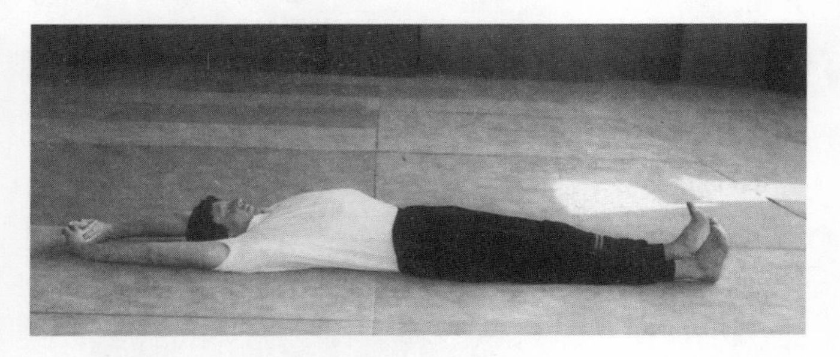

Esta vez estire los dos brazos a cada lado de la cabeza y también las piernas mientras inspira. Con los pulmones llenos debe intentar un mayor estiramiento, llevando los talones lo más lejos posible. Para más eficacia, puede entrecruzar los dedos de ambas manos y girar las palmas hacia detrás. Si está tendido boca arriba debe procurar que la parte baja de la espalda esté en permanente contacto con el suelo. Al espirar, deje el cuerpo muerto dejando que actúe la elasticidad natural de los músculos y los ligamentos.

Repita tres o cuatro veces el ejercicio según sus necesidades.

Ejercicio 3
Contracción/relajación

Esta vez, en lugar de estirar más, cuando tenga los pulmones llenos realizará una contracción en la parte del cuerpo elegida.

Al inspirar apriete el puño derecho y levante el hombro derecho hacia la oreja, dejando deslizar el brazo derecho, tendido, a lo largo de su costado. Con los pulmones llenos, insista en mayor medida en la contracción, apretando mucho el puño y empujando el hombro hacia la oreja durante seis o siete segundos. Al espirar deje de realizar la contracción abandonándose a la relajación.

Repita tres veces este ejercicio.

Ejecute la misma operación con el brazo y la mano izquierda en el mismo número de ocasiones.

Ahora, realizará la contracción de los glúteos, de la parte baja de vientre y de los abdominales, metiendo hacia adentro el vientre, al mismo tiempo que inspira. Con los pulmones llenos insista en la contracción de estas zonas. Produciéndose la relajación en el momento de la espiración.

Ejecute tres veces el ejercicio.

Ocúpese de la pierna derecha. Al inspirar, empuje lo más lejos posible y hacia adelante el talón derecho, con los dedos orientados hacia su rostro. Con los pulmones llenos, realizará una contracción de la pierna y del pie derecho durante seis o siete segundos, produciéndose la relajación en el momento de la espiración.

Ejecute tres veces el ejercicio, tanto hacia la derecha como hacia la izquierda.

Por fin, contraiga todas las partes del cuerpo ejercitadas hasta ahora añadiendo las mandíbulas, la frente, las cejas..., o sea, todas las partes del cuerpo en las que se puede realizar una contracción, siempre después de una inspiración, durante el tiempo de retención del aire en los pulmones. Al espirar, deje, tranquilamente, que se produzca la relajación.

Repita dos o tres veces el ejercicio en función de sus necesidades.

EJERCICIO 4
Contracciones/relajaciones mejoradas y progresivas

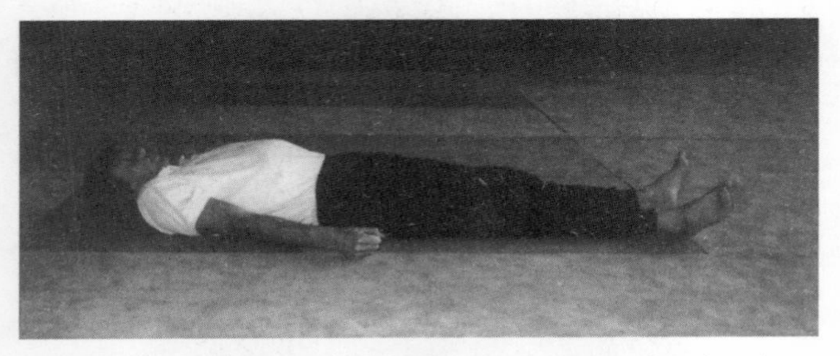

Realice la contracción segmento por segmento inspirando. Contraiga aún más con los pulmones llenos de aire y deje de realizar la contracción mientras espira.

Los ejercicios son exactamente los mismos que los descritos anteriormente. Sin embargo, les puede añadir mucha mayor fineza y concentración. Le indicamos cómo proceder:

Tomamos el ejemplo del brazo y de la mano derecha. En el momento de la inspiración, cuando apriete el puño, cuente mentalmente hasta cinco. En el cero, la mano está abierta. Cuando cuenta uno, los dedos empiezan a doblarse ligeramente. Al contar dos, los dedos se cierran un poco más. En el tres, aún un poco más. En el cuatro el puño ya está cerrado y en el cinco el puño ya está fuertemente apretado.

Posteriormente, de nuevo en cinco tiempos, levante el hombro derecho hasta la oreja derecha, con el brazo tendido.

Para relajar el hombro, debe realizar el mismo ejercicio a la inversa, esto es, respetando asimismo los cinco tiempos empleados para su contracción.

Este ejercicio puede realizarse tendido en el suelo o sentado en una silla.

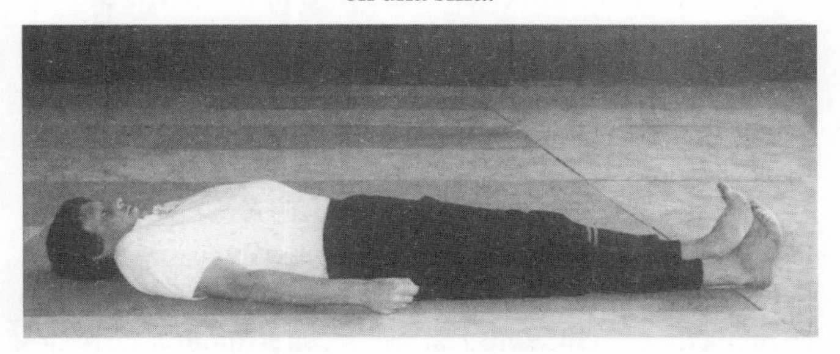

Contracción y relajación de todo el cuerpo.

En el quinto tiempo, la contracción debe ser la máxima, en el cuarto, debe existir un principio de relajación, en el tercero, segundo y primero, la relajación debe ser progresiva. y finalmente en el tiempo cero debe de haberse producido la relajación completa.

Proceda de esta forma con todas las partes del cuerpo de forma paulatina.

EJERCICIO 5
La relajación natural

Espontáneamente, varias veces al día, el cuerpo naturalmente se abandona tanto a la relajación como a los estiramientos ¡Sobre todo no se lo impida! Al contrario, hasta puede provocar estos movimientos reflejos.

Estírese levantando los brazos hacia arriba. Después doble los brazos a nivel de los codos apretando los puños. Contraiga los brazos y los puños. Así la parte de arriba de la espalda y los hombros se contraerán automáticamente. Notará que este movimiento natural se realiza en armonía con los tres tiempos respiratorios descritos anteriormente: al inspirar, estiramiento y colocación de los brazos y de las manos; contracciones con los pulmones llenos y relajación simultánea en el momento de espirar.

Puede añadir el bostezo al ejercicio anterior. Ejecútelo, observando lo que realiza a menudo su organismo. Mientras abre la boca ampliamente, aspire el aire que oxigena principalmente las zonas del costado y las bajo-claviculares. Cuando hace un bostezo completo, pleno, se produce, en el momento de espirar por la boca, una relajación de los hombros. En efecto, durante la fase de inspiración, los hombros se levantan ligeramente. Por

tanto, no vacile, mientras bosteza, en contraer toda la zona de los hombros.

También los estiramientos son un proceso absolutamente natural, ya sea por la mañana al despertar o en el transcurso del día. En estos casos debe participar e incluso anticiparse a estos movimientos. Su cuerpo se lo agradecerá, ya que son acciones que le benefician sumamente. El suspiro, asimismo es otra manifestación natural de la relajación. Mientras permanezca tendido boca arriba o sentado en una silla, observe lo que se produce cuando se suspira: en el momento de la inspiración se ejecuta un movimiento de la caja torácica que acarrea una apertura de la zona bajoclavicular y un levantamiento de los hombros hacia el cuello. El tiempo en el que los pulmones permanecen llenos, muy corto –uno o dos segundos–, es seguido de una larga espiración nasal o bucal; en este último caso la boca permanece muy poco abierta. Los hombros se hunden y, si permanece tumbado, toda la parte posterior del cuerpo se estira. Desaparecen las tensiones, de ahí la importancia de los ejercicios respiratorios, y en particular de la respiración completa.

Por fin, una última observación de gestos espontáneos: el masaje facial. Apenas sentimos cierta fatiga, o estamos contrariados o tensos, nuestras manos, automáticamente, masajean el conjunto de la cara. Otra vez, en este caso, ayude a la naturaleza facilitando la acción del masaje sistemática y conscientemente en cada parte de la cara y, si tiene tiempo, en el cuello, los hombros y la nuca (véase el capítulo «Cómo relajarse gracias a los masajes»).

Con los dedos, comience mediante una presión firme y continua, por darse masajes en la frente, continuando por las sienes, las cejas, la nariz, las mejillas, la parte inferior de las mandíbulas, las orejas, el cuello, los hombros y la nuca. Verá que obtiene buenos resultados.

B. Cómo relajarse gracias a la sensibilidad del tacto

La piel es un factor determinante en el desarrollo del comportamiento humano. Los contactos táctiles son vitales para el equilibrio del individuo y las relaciones que establece con su entorno. Incluso está probado que si no se acaricia, mima y acuna entre los brazos al bebé, éste de desarrolla mal tanto física como psíquicamente.

La piel es uno de los componentes más importantes del cuerpo; en efecto, este tejido continuo cubre en el adulto una superficie de alrededor de dos metros cuadrados, llegando a pesar cerca de cuatro kilos. Por tanto, la piel es mucho más que una simple película interpuesta entre el mundo y nosotros. «Es un órgano compuesto de varias capas que poseen su propio sistema sanguíneo y un sistema nervioso específico. En la capa más profunda de la piel se están generando continuamente nuevas células, que se elevan progresivamente hasta la superficie y que cambian de forma y de función según las capas atravesadas. Mueren al alcanzar la capa exterior de la piel, pero aún constituyen una película protectora contra las agresiones de microbios antes de ser aniquiladas y sustituidas por una nueva capa de células ¡En el curso de la vida, perdemos aproximadamente veinte kilos de células muertas!»[15] Una de las funciones principales de la piel es asegurar la relación del cuerpo con el mundo exterior ya que recibe y transmite los mensajes sensoriales al cerebro. Tres de nuestros sentidos poseen receptores en la piel: el olfato depende de las terminaciones nerviosas envueltas en la mucosidad, que se encuentran en la piel de la cavidad nasal; el tacto y el gusto se reciben mediante terminaciones nerviosas especializadas situadas justo debajo de la superficie de la piel.

La importancia del tacto también se manifiesta a través de expresiones corrientes; «tener reacciones epidérmicas», «tener tacto», «tener los nervios a flor de piel», «estar a gusto en su pellejo».

Gracias a los ejercicios que más abajo les presentamos, podrán no sólo relajarse profundamente sino también afinar el sentido del tacto, elemento capital de percepción.

EJERCICIO 6
Conciencia de los contactos en un solo lado del cuerpo

Tendido en la cama, únicamente prestará atención a aquellas partes de su cuerpo que se encuentren en contacto con la alfombra o la cama en la que se encuentre cómodamente instalado. Si por el contrario está sentado en una silla, únicamente prestará atención a los puntos de contacto de la espalda con el respaldo y de los pies con el suelo.

Este primer ejercicio consiste en observar los distintos puntos de contacto de todo el lado derecho de su cuerpo.

Su atención se concentra en el contacto del talón derecho con la alfombra o la cama. Pausa... su pantorrilla derecha, pausa... la parte inferior del muslo derecho, pausa... el glúteo derecho... el brazo derecho... los puntos de contacto de su mano derecha... el omoplato derecho. La atención se concentra en todos los puntos de contacto anteriormente citados.

Compare el lado derecho con el izquierdo.

EJERCICIO 7
Conciencia de los contactos en los dos lados

Continúe esta observación con la toma de conciencia del punto de contacto del talón izquierdo, pantorrilla izquierda... parte inferior del muslo izquierdo. El tiempo de pausa ya no está indicado. El glúteo izquierdo. Brazo izquierdo. Los puntos de contacto de la mano izquierda..., el omoplato izquierdo. La parte posterior de la cabeza.

La atención se concentra el conjunto de los puntos de contacto de su cuerpo con la alfombra o la cama.

EJERCICIO 8
Mejora de la conciencia de los contactos

La conciencia se concentra en otros puntos de contacto:

- De la piel con la ropa. De todas aquellas partes del cuerpo, cualesquiera que sean, que estén en contacto con la ropa. Muñeca, antebrazo, codo.
- De la piel con el ambiente, debiendo determinar si se trata de una sensación de frescor o calor.
- Del aire inspirado por la nariz con el centro del labio superior.

C. Relajación gracias al camino seguido por la conciencia

Tiéndase cómodamente boca arriba, sobre una alfombra en el suelo o en la cama. Si no se siente cómodo en esta postura, elija una de las posiciones descritas con anterioridad.

Cierre los ojos. Ejecute una larga inspiración seguida por una larga espiración acompañada de un profundo suspiro, que es lo que hace espontáneamente el cuerpo cuando se relaja naturalmente. Para seguir esta relajación, bastará con centrar su atención en las distintas partes del cuerpo de las que posteriormente haremos mención. No es necesario moverlas ni ejecutar cualquier tipo de ejercicio. Simplemente tiene que volver a encontrar la sensación que precede al sueño. Sin embargo, por supuesto, no puede dormirse. Si por casualidad en el transcurso de esta relajación, surgen pensamientos o imágenes, no les preste atención. Déjelas pasar y centre toda su atención en la práctica.

Primero, tome conciencia de su inmovilidad. Obsérvese desde la cabeza a los pies y desde los pies a la cabeza. Gracias a esta relajación, efectuará un viaje interior. Permanezca despierto, y mantenga atenta su conciencia. Repita mentalmente el nombre de la parte del cuerpo al tiempo que percibe la sensación de relajación.

EJERCICIO 9

Conciencia en un lado del cuerpo

Centre su atención en la mano derecha. Pausa... muñeca derecha. Pausa... brazo derecho. Pausa... axila y costado derecho. Pausa... glúteo derecho. Pausa... pierna derecha. Pausa... pie derecho. Pausa...

Compare el lado derecho y el lado izquierdo mediante los tres criterios siguientes: la temperatura. Pausa... el peso. Pausa... la longitud. Pausa...

EJERCICIO 10

Conciencia mejorada de las partes principales del cuerpo

Ahora centre su atención en la mano izquierda. Pausa... (ya no indicaremos las pausas). Muñeca izquierda... brazo izquierdo... axila y costado izquierdo... glúteo izquierdo... pierna izquierda... pie izquierdo...

Concéntrese en su espalda. La parte inferior de la espalda, el centro de la espalda, la parte superior, la zona de los omoplatos. La columna vertebral. La espalda entera. La parte delantera del tronco: vientre, costillas, pecho. Observe todo su cuerpo. No se duerma.

EJERCICIO 11
Conciencia mejorada de todo el cuerpo

Puede hacer que su relajación sea aún más profunda, para eso centrará su atención en el dedo pulgar derecho. Tómese el suficiente tiempo para observarlo: las dos falanges, la uña. El índice derecho: cada falange, la uña. El dedo corazón derecho: falanges, uña. Anular derecho: falanges, uña. Meñique derecho: falanges, uña. Palma derecha. Dorso de la mano derecha. Muñeca derecha. Suba a lo largo del antebrazo derecho hasta llegar al codo. Recorra el brazo derecho hasta llegar al hombro. Desde la axila derecha, baje por el costado derecho hacia la cadera derecha. La conciencia se dirigirá hacia el muslo derecho. Parte baja del muslo derecho. Parte superior del muslo derecho. Rodilla derecha. Pantorrilla derecha. Tobillo derecho. Talón derecho. Planta del pie derecho. Empeine del pie derecho. Conciencia del dedo gordo del pie derecho, del segundo dedo, del tercero, cuarto y quinto dedos del pie derecho.

Tome conciencia del pulgar izquierdo: falanges, uña. Índice izquierdo: falanges, uña. dedo corazón izquierdo: falanges, uña. Anular izquierdo: falanges, uña. Meñique izquierdo: falanges, uña. Palma izquierda. Dorso de la mano izquierda. Muñeca izquierda. Suba a lo largo del antebrazo izquierdo hasta llegar al codo. Recorra el brazo izquierdo hasta llegar al hombro. Desde la axila izquierda, baje por el costado izquierdo hacia la cadera izquierda. La conciencia se dirigirá hacia el muslo izquierdo. Parte baja del muslo derecho. Parte superior del muslo izquierdo. Rodilla izquierda. Pantorrilla izquierda. Tobillo izquierdo. Talón izquierdo. Planta del pie izquierdo. Parte superior del pie izquierdo. Conciencia del dedo gordo del pie izquierdo, de segundo dedo, del tercero, cuarto y quinto dedos del pie izquierdo.

La atención se centra en la espalda. La parte superior de la espalda. El omoplato derecho, el izquierdo. El centro de la espalda. La parte inferior de la espalda. La columna vertebral. La espalda entera. El glúteo derecho, el izquierdo. El vientre. Las costillas, el pecho. Las clavículas. La garganta. El cuello. La parte posterior de la cabeza. El cuero cabelludo. El cráneo. La frente. La sien derecha, la izquierda. La ceja derecha y la izquierda. El ojo y el párpado derechos y los izquierdos. El bigote. El labio superior. El labio inferior. El mentón. La nariz. Nariz en la que siente el vaivén de la respiración tranquila, sosegada. Todo su cuerpo se siente relajado. Descansa el sistema nervioso.

D. Cómo relajarse gracias a la visualización

A veces, se siente atacado por un entorno mediático negativo: acontecimiento dramático en primera plana, imágenes de guerra, de hambre, crisis, crímenes, paro creciente...

Desea reaccionar y piensa que cada uno de nosotros debe tener un pedacito de cielo azul en su interior. Cree que las imágenes sanas, dulces y relajantes son absolutamente necesarias para su equilibrio; que pensamientos positivos pueden crear condiciones favorables al éxito de sus proyectos e incluso que pueden llegar a cambiar su destino. Tiene toda la razón del mundo.

La visualización positiva y la autosugestión constituyen una verdadera dietética del espíritu, pero no se trata de remedios milagrosos. Debe ser responsable si desea remodelar su mente, proporcionar a su psique todas las posibilidades de desarrollar al máximo sus potencialidades.

Como todo en la naturaleza, la mente está en constante estado de vibración. Estas vibraciones, llamadas pensamientos o imágenes, pueden crearse, dirigirse según la voluntad, mucho más si no están condicionadas ni por el tiempo ni por el espacio. Gracias a estos ejercicios podrá, consiguientemente, no sólo desarrollar su potencia mental, sino también tener acceso a las capas más profundas de su subconsciente. Las sugestiones que sembrará en el subconsciente a modo de semillas, crecerán inexorablemente y afectarán positiva y duraderamente su comportamiento y personalidad.

Deje de ser la víctima indefensa del destino, sabiendo que puede modelar usted mismo su propia estructura mental.

Que estos ejercicios sean, por tanto, herramientas prácticas y eficaces al servicio de su proceso de evolución y del camino seguido por sus pensamientos.

Cuando tiene los ojos cerrados, puede observar en su mente una especie de pantalla de cine negra con lucecitas. Tiene que saber que sobre esta pantalla le es posible proyectar, como desea, cualquier imagen y cualquier película. Es exactamente lo que ocurre cuando sueña o cuando rememora acontecimientos pretéritos.

Cada día su mente se impregna de miles de imágenes que alimentan su inconsciente. En los ejercicios que a continuación proponemos, le proporcionaremos una «alimentación» de imágenes apropiadas. Además, se convertirá en el espectador de las imágenes surgidas del inconsciente; éstas perderán su potencial perturbador, particularmente en el plano emocional. Se colocará cómodamente boca arriba, arrodillado o sentado con las piernas cruzadas, pero también puede hacerlo en una de las posturas descritas con anterioridad.

EJERCICIO 12
Visualización de un paisaje relajante

Según su pasado, su cultura, guarda en la memoria un paisaje que le es familiar, un lugar en el que se siente particularmente a gusto: orillas de un lago o de un río, playa de arena fina barrida por el vaivén de un mar cálido, espléndida montaña nevada... Se acuerda seguramente de un lugar en el que se sentía en perfecta armonía con el entorno. En aquel entonces le invadió una sensación de paz interior, de tranquilidad extraordinaria: ¡El sentimiento de haber reencontrado el paraíso perdido!

Intente reactivar sus recuerdos de forma que resurja tal lugar, conserve su imagen. Observe simplemente ese «cuadro interior»: es usted el pintor, el espectador y su contemplación le transporta aun estado de relajación. Si no tiene tales recuerdos, imagínese el lugar que intuitivamente siente propicio para la consecución de una paz absoluta, esta paz que ES, que existe SIEMPRE, pero que tiene escondida debajo de un montón de tensiones acumuladas y de visiones erróneas.

Ejercicio 13
Visualización de un escenario: relajación acuática

Le gusta particularmente el agua, por lo tanto se imagina bañándose en un río. Se deja llevar por la corriente. Así se dirige hacia un río que a medida que avanza se ensancha. Este río desemboca en el mar. El agua es cristalina, ligeramente azul y muy cálida. Se deja mecer por el ligero movimiento de las olas mientras todas las tensiones y preocupaciones de su vida desaparecen en las profundidades del mar.

Ejercicio 14
Visualización de un escenario: la playa

Está tendido en una playa de arena fina. Se deja invadir por el dulce calor proveniente de los magníficos rayos del resplandeciente sol. Su cuerpo se hace cada vez más pesado y deja su marca en la arena. Es éste el lugar en que se abandonan y quedan impregnadas las tensiones y los problemas. Se levanta para cambiar de sitio. Se ha convertido en un ser ligero, liberado de su pesada carga.

Ejercicio 15
Visualización de un escenario: las nubes

Está cómodamente situado sobre una nube. A un ritmo muy lento, se desplaza por el cielo, admirando todos los lugares agradables de la tierra que ha conocido o que le gustaría conocer. La nube se coloca sobre uno de sus lugares particularmente apetecidos. Envuelto en esta especie de paraíso cálido, relájese profundamente.

Ejercicio 16
Visualización de un escenario: el cosmos

Está cómodamente tendido sobre una alfombra. Despacito despega del suelo para dirigirse hacia el cielo. Un cielo sin nubes de un azul luminoso. Continúa su ascensión y la imagen de la tierra va alejándose. Entra en el Universo sembrado de estrellas. En este cosmos silencioso, absolutamente silencioso, ya no tiene ningún tipo de obligaciones. Flota por el aire libre de toda fuerza de gravedad.

Ejercicio 17
Visualización de un escenario: el espacio infinito

Tendido boca arriba, toca una pared con su mano derecha. Otra con la mano izquierda. Las plantas de los pies, así como la coronilla también están en contacto con una pared. Despacito, las paredes se van apartando, llevando consigo las manos, la cabeza y los pies. Estira todo el cuerpo a partir del vientre y el abdomen. Ya no respira usted, sino que lo hace el suelo. Su cuerpo se convierte en algo tan grande como la habitación en la que está colocado. Todo en usted se amplía, y particularmente su mente. En cambio, disminuyen sus tensiones, se diluyen sus preocupaciones ya que se ha convertido en algo tan grande como la Tierra. Sigue creciendo y se convierte en la conciencia propia del Universo. Un espacio infinito le habita. Para dejar este estado de relajación, focalizará su atención en el abdomen y progresivamente volverá a encontrar su tamaño normal. En cambio, conserve preciosamente en la memoria esta posibilidad de ampliar su campo de conciencia hasta los confines del Universo.

EJERCICIO 18
Visualización de un escenario: un apacible jardín

Está usted tendido en posición relajante en el centro de un apacible jardín. Allí hay flores de colores extraordinarios. Cada una de ellas desprende un perfume sutil que tiene como propiedad la de tranquilizarle y relajarle. Déjese llevar por las imágenes que se sucederán como una película interior. Intente incluso reactivar el recuerdo de un perfume.

E. Cómo relajarse gracias a la sugestión consciente

«El pensamiento humano lo puede todo.»

«En los años cincuenta, un barco mercante inglés, que transportaba botellas de vino de Madeira, desembarca su carga en un puerto escocés. Un marino penetra en la cámara frigorífica para comprobar si todo ha sido correctamente entregado. Al ignorar su presencia, otro marino cierra la puerta desde el exterior. El apresado golpea con todas sus fuerzas las paredes, pero nadie le oye y el barco se marcha de nuevo para Portugal.

El hombre descubre alimentación en cantidades suficientes, pero sabe que no podrá sobrevivir demasiado tiempo en la cámara frigorífica, no obstante encuentra energía para con, un trozo de metal, grabar en las paredes hora tras hora y día tras día el relato de su calvario. Con una precisión científica cuenta su agonía. Cómo el frío le anquilosaba, congelando su nariz, los dedos de los pies y de las manos que empiezan a crujir como cuando se rompe el cristal. Describe cómo el aire le quema de manera insoportable y cómo poco a poco el cuerpo entero se va petrificando, haciéndose un bloque de hielo.

Cuando el barco arriba a Lisboa, el capitán, al abrir el refrigerador, descubre al marino muerto. Lee en las paredes el relato minucioso de sus terribles sufrimientos. Pero ahí no reside lo más asombroso. El capitán apunta la temperatura del contenedor y el termómetro indica 19 °C. El lugar ya no contenía mercancías, no se había activado el sistema de refrigeración durante el trayecto de vuelta. El hombre había muerto únicamente porque pensaba tener frío. Había sido la víctima de su propia imaginación.»[16] Existen otros casos que muestran el poder del pensamiento:

«Se pidió aun grupo de estudiantes probar un nuevo medicamento. Lo que les dieron fue una pastilla de azúcar, pero la mayoría de ellos se quejaron de efectos secundarios: estados depresivos, efecto sedante, agitación, dolores de cabeza, temblores, desaceleración del ritmo cardiaco.»

Doctores PETER SKABANK y JAMES MCCORMICK[17]

O bien la muy significativa historia del alfiler ficticio:

«Una mujer pensaba haberse tragado un alfiler entre un pedazo de pan y se quejaba de que le dolía muchísimo el esófago; pero como no se apreciaban ni inflamación ni signos externos que permitieran detectarlo, un hombre hábil, pensando que se trataba de una fantasía, le hizo vomitar y mezcló en el vómito un alfiler curvado. La mujer, al pensar que lo había expulsado, se sintió de pronto aliviada de sus males.»[18]

Sin llegar hasta estos extremos ¿quién no ha rezado alguna vez para que se realizara un deseo?, ¿o tomado una firme resolución?, ¿o no se ha prometido a sí mismo superar una prueba?, ¿o conseguir un ideal?

Para que estas fórmulas sean eficaces, deben ser siempre positivas, sinceras, expresadas muy claramente, y duraderas en el tiempo. De esta manera obtendremos dos ventajas:

- Le permitirán relajarse más profunda y rápidamente.
- Repetidas en estado de relajación, echan raíces en el subconsciente con lo que incrementan su potencial.

EJERCICIO 19
Sugestiones para relajarse profundamente

Tras haber practicado alguno de los ejercicios anteriores y haberse colocado en posición de relajación, ahora le proporcionaremos algunas fórmulas que podrá repetir tres veces:

- «Estoy tranquilo, absolutamente tranquilo».
- «Estoy relajado, profundamente relajado».

EJERCICIO 20
Otras sugestiones

Algunas sugestiones que puede proponer a su subconsciente, cuando se encuentre en perfecta relajación, pueden ser las siguientes:

- Si le cuesta dormirse:
  «Me duermo fácil y profundamente».
- Si tiene problemas de salud:
  «Mi salud es perfecta» y no «ya no estoy enfermo».
- Si piensa tener un grave defecto que le impide realizarse plenamente, entonces cultive su cualidad opuesta:
  «Tengo valor y fuerza», si siempre tiene miedo.

«Estoy lleno de vitalidad», si está siempre cansado. Pero en este caso, también debe ayudar a su organismo a reflexionar sobre la manera de alimentarse.

En fin, si desea que la vida le quiera ¡ame la vida! y utilice el leitmotiv del llamado método Coué:

«CADA DÍA, Y DESDE TODOS LOS PUNTOS DE VISTA, ESTOY CADA VEZ MEJOR.»

F. Cómo relajarse gracias a la respiración

La respiración es un bien inestimable, constituye la base de la vida. Sin embargo «pocas personas prestan realmente atención a la respiración; no obstante es ella la que mantiene durante el día y la noche la llama de la vida, al proporcionar al organismo el oxígeno necesario para las combustiones; también permite deshacerse de los productos gaseosos que provienen de las actividades químicas internas. Un buen conocimiento de la fisiología permite tomar conciencia de todos los órganos de la mecánica respiratoria así como de los fenómenos químicos de la respiración.

Lo interesante, y sobre todo práctico, que hay que tener en cuenta es que la respiración constituye la Única función fisiológica sobre la cual podemos tener, en cualquier momento, una acción directa; ahora bien, al saber que con nuestra sola voluntad podemos modificar su ritmo y su intensidad, podemos transformar nuestro estado presente y futuro ya que la respiración está asociada a nuestras emociones e influye en todas nuestras funciones vitales. Por este motivo, hace falta ejecutar, lo más posible, respiraciones completas, tanto para conservar este maravilloso bien como para desarrollarlo, y también prestar el mayor interés sobre el diafragma y la nariz» .

Por consiguiente tiene que hacerlo todo para mantener una respiración que, naturalmente, debe ser amplia y profunda.

También puede utilizar la respiración para relajarse mejor.

EJERCICIO 21
Simple observación de la respiración

Cualquiera que sea la posición de relajación adoptada, centre simplemente su atención en la respiración. Observe su vaivén. No vacile en colocar sus manos sobre cada fase respiratoria de las que a continuación damos cuenta.

- **La respiración abdominal**
  También llamada respiración diafragmática; la podemos observar fácilmente en los niños, en las personas tranquilas, relajadas o profundamente dormidas; es fundamental para el mantenimiento de la salud y de nuestra energía vital. Esta respiración «del vientre» no es sino una impresión pues, en realidad, es el diafragma el que empuja los órganos abdominales hacia abajo. Esta respiración «baja» es uno de los elementos

esenciales de la meditación zen, del tiro con arco o del aïkido para desarrollar lo que los japoneses llaman el hara, donde se concentra la fuerza del ki.

- **La respiración costillar**

  En cada inspiración, se provoca una bocanada de aire hacia el tejido pulmonar, así como un flujo de sangre. Es la elasticidad del tejido la que permite la realización de esta labor, pero también la flexibilidad de la caja torácica. Cuanto más se facilite el movimiento de «acordeón» de las costillas, mayor será el aporte en oxígeno y, por tanto, las combustiones celulares. Esta respiración costillar está relacionada con el dominio de las emociones, sobre todo de la zona del plexo solar, y su control permite apreciar las situaciones difíciles con mayor sangre fría y tranquilidad, tales como los exámenes, concursos, competiciones, posición ante el público...

- **La respiración alta o bajoclavicular**

  Las tensiones acumuladas al nivel de la escápula no favorecen en absoluto la respiración, y la toma de conciencia de esta tercera fase respiratoria, a veces requiere de mucho tiempo. Es aquí cuando nos damos cuenta de la importancia que adquiere la postura, que permite una mayor apertura a nivel clavicular –las mujeres embarazadas conocen su importancia para oxigenar toda la superficie pulmonar. Esta respiración alta está íntimamente relacionada con «la apertura al mundo» y el desarrollo de la espiritualidad –clavícula, del latín *clavicula* que significa «pequeñas claves»: ¿claves de la espiritualidad?

- **La respiración completa**

  Reúne las características de las tres anteriormente citadas y se ejecuta en dos tiempos gracias a una inspiración larga, lenta y profunda. Se hincha el abdomen y se separan las costillas y al final, la respiración llega a la zona clavicular; en el momento de la espiración, se produce el hundimiento de la zona abdominal seguido por el de la caja torácica; en último lugar se ejecuta la respiración alta.

Se debería practicar la respiración completa el mayor número de veces, cualquiera que sea la actividad que se realice; de hecho, ella misma se realiza en ciertos momentos, acompañada por un largo suspiro y por una relajación general. Por tanto, se puede ayudar a este fenómeno «natural» gracias a una educación o reeducación respiratoria: las repeticiones voluntarias de respiraciones forzadas se convertirán rápidamente en una costumbre y hasta en un automatismo. Lo ideal es permanecer lo más frecuentemente posible consciente de su respiración, fuente de todas las manifestaciones de la vida.

Una vez concluidas estas prácticas respiratorias, continúe con los ejercicios siguientes para obtener una relajación incluso más profunda.

EJERCICIO 22
Respiración y contacto en el lado posterior del cuerpo

Colóquese boca arriba.

En el momento de la inspiración, observe el camino seguido por su respiración. En el momento de la espiración, deje que se asiente todo el lado posterior de su cuerpo en la alfombra o la cama. Imagine que todas sus tensiones «se infiltran» en la tierra como el agua después de la lluvia.

EJERCICIO 23
Respiración y sensación

Cualquiera que sea la posición de relajación elegida observe:

- En el momento de la inspiración, la frescura del aire en su nariz.
- En la espiración, el aire tibio que, regularmente, a modo de la crecida y resaca marina, se pone en contacto con el centro del labio superior.

EJERCICIO 24
Respiración y visualización de una luz

Cualquiera que sea la posición, siga la inspiración desde la nariz hasta el vientre. En la inspiración, imagine una luz azul, cálida, propagarse por todo el cuerpo a partir del abdomen, desde un punto situado a dos centímetros aproximadamente bajo el ombligo. Esta luz inunda hasta el menor resquicio de su ser, hasta las células.

EJERCICIO 25
Respiración y visualización de una espiral

Este ejercicio conviene particularmente a las personas que desean abrirse más al mundo, que desean comunicarse mejor. Además, al igual que el ejercicio precedente, aporta una potente recarga energética. Por la mañana, puede realizarse de pie.

Con los brazos y las piernas forme una cruz cuyo centro se sitúe justo debajo del ombligo. En cada respiración, siga al aire desde la nariz hasta el vientre. En la

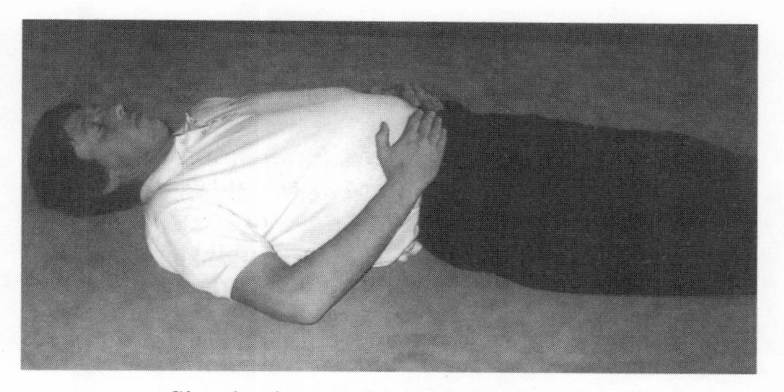

Simple observación de la respiración.

espiración, visualice una espiral que se desarrolla a partir del ombligo y más exactamente dos centímetros por debajo. Esta espiral, primero localizada en el abdomen, va ampliándose hasta alcanzar los dedos de las manos y de los pies, pero continuará creciendo hasta llegar a ser tan grande como la habitación en la que se encuentra;

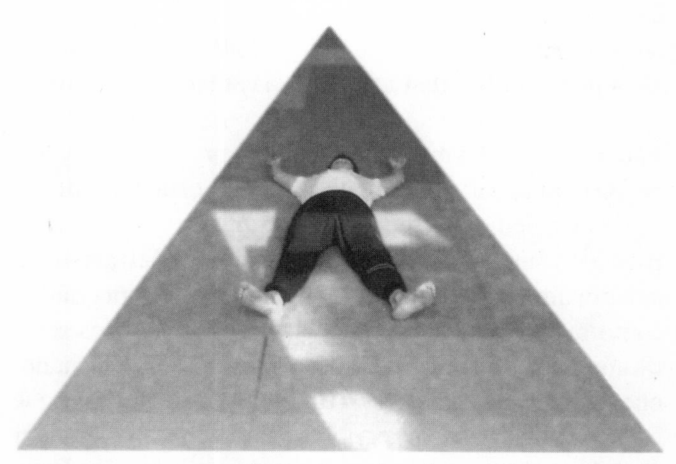

Forme una cruz con los brazos y las piernas. Esta posición también se puede realizar de pie.

grande como la casa, la ciudad, la provincia, la región... la tierra entera. Usted ya no es más que el punto central del universo.

Cuando finalice el ejercicio, atraiga por medio de la espiral toda la energía contenida en el cosmos, para distribuirla a su alrededor.

EJERCICIO 26
Respiración y autosugestión

Puede añadir a la observación de la respiración la formulación de sugestiones, como las descritas en el capítulo anterior.

- En la inspiración repetirá para sí: «Estoy tranquilo».
- En la espiración: «Absolutamente tranquilo».
  O bien: «Estoy relajado» –inspiración–, «profundamente relajado» –espiración.

G. Cómo relajarse gracias al sentido del oído

Para oír, y mucho más para escuchar, primero es necesario que se haga el silencio interior. En este mundo sonoro y ruidoso, hemos perdido la costumbre de escuchar realmente y, sin embargo, qué felicidad compartida la de estar realmente escuchando a alguien, o la de apreciar un canto melodioso, su música preferida, o todos los sonidos que nos ofrece la naturaleza, en particular por la noche, pero en realidad ¿cómo funciona nuestro oído? ¿qué es un sonido? ¿Cómo ejercicios de escucha, en particular cuando escuchamos música, pueden ayudar a relajarnos? El oído se compone de tres partes:

- El oído externo, que permite captar los sonidos, es una especie de embudo que conduce los ruidos y que tiene un conducto que mide alrededor de dos centímetros y medio, que a su vez se compone de unas cuatro mil glándulas secretales de cera. Este conducto también sirve para atemperar el ambiente interno del oído; en efecto, cualesquiera que sean las variaciones térmicas o hidrométricas, el aire que llega al tímpano posee una temperatura y una humedad constantes.
- La segunda parte es el oído medio, constituido por un compartimento muy reducido y lleno de aire, que contiene un sistema amplificador compuesto de tres huesos: el martillo, el yunque y el más pequeño de los huesos del cuerpo humano, el estribo.
- En cuanto al oído interno, es de una complejidad sorprendente: ¡aunque no es mayor que una avellana, posee tantos circuitos como una central telefónica de una ciudad de dimensiones considerables! Está entre los órganos más protegidos del cuerpo humano, al estar ubicado dentro del cráneo y protegido por un cojín de líquido.

«El mecanismo central del oído es el caracol, en el que las ondas sonoras se transforman en impulsos nerviosos. Este caracol es una pequeña estructura ósea, que toma su nombre precisamente del parecido al caracol, y que funciona como el teclado de un piano, con la diferencia de que existen aproximadamente alrededor de veinte mil teclas en el caracol, frente a las ochenta y ocho del piano y que no están hechas con ébano ni marfil, sino con células sensoriales que se asemejan a los cabellos.

En lugar de estar colocadas en línea recta, se presentan a lo largo de una membrana enrollada dos veces y media sobre sí misma. Los sonidos transmitidos por las teclas a la ventana ovalada, determinan ondas de presión líquida a través de la espiral de los canales del caracol. Según su altura, los sonidos provocan su efecto máximo sobre distintos segmentos de teclado de las células sensoriales. Los sonidos que pertenecen a las frecuencias más bajas, activan las células sensoriales más amplias y flexibles, en el centro de la espiral del caracol. Los sonidos de más alta frecuencia obtienen su contestación máxima al final de la espiral, lo más próximo a la ventana ovalada, en la que las células nerviosas son estrechas y rígidas.

Al vibrar, las células sensoriales provocan impulsos que, captados por el nervio auditivo, se transmiten al cerebro. Allí, las señales se escuchan con un sonido particular: una voz, el canto de un pájaro, o todo lo que la experiencia nos enseñó a asociar con este tipo de señales particulares.

Cuando las cuerdas de un violín olas cuerdas bucales, o cuando un diapasón u otros objetos vibran ose mueven rápidamente de delante hacia atrás, esto produce perturbaciones en el aire que les rodea. Acostumbran a ser esas perturbaciones lo que nosotros llamamos sonidos. Aparecen cuando el movimiento oscilatorio empuja las moléculas que componen el aire en ondas alternantes de aire comprimido, entre las que las moléculas se comprimen por la presión, y en aire enrarecido, en el que las moléculas están separadas bajo una presión mínima. El efecto puede compararse a las cumbres ya los huecos de las olas del mar. Las ondas sonoras están colocadas en cadenas de frecuencias o ciclos por segundo. Así, por ejemplo, los sonidos más graves de un piano producen veintisiete vibraciones por segundo. Al contrario, se han producido ondas sonoras, en el curso de experiencias científicas, de setenta millones de vibraciones por segundo. Solamente las ondas de presión se convierten en sonidos cuando han sido recogidas por el tímpano y dirigidas al cerebro para su análisis.»[19]

Podemos percibir sonidos de dieciséis mil a veinte mil vibraciones por segundo, lo que equivale más o menos a diez octavos.

No podemos percibir sonidos de muy alta frecuencia, como lo hacen, por ejemplo, los gatos, pero afortunadamente no podemos escuchar todos los sonidos que existen, ya que de manera contraria ¡no conoceríamos el silencio! En efecto, en nuestro mundo industrializado, el ruido constituye un factor de fracaso tanto para la eficacia laboral como para la buena salud. Es el exceso de ruido el que puede llegar a acarrear reacciones bioquímicas variadas, tales como la hipertensión arterial, el anormal funcionamiento endocrino, un ritmo cardiaco acelerado, una respiración corta y la desaceleración de la irrigación sanguínea del feto en el caso de una mujer embarazada. Además se ha observado que la tensión nerviosa, los problemas escolares, los insomnios y la vulnerabilidad ante los accidentes son más frecuentes en los medios ruidosos. En este tipo de entorno, la gente trabaja menos. En una oficina ruidosa, las mecanógrafas utilizan el veinte por ciento de su energía para luchar contra los efectos del ruido.

Los ruidos excesivos son nocivos, pero las sucesiones armoniosas de sonidos, pueden, muy al contrario, producir un estado de relajación muy profundo y provocar una variación de ritmos cardiacos y respiratorios.

«Por escuchar música, se disminuye la ansiedad, el miedo al sufrimiento y el dolor en sí. Así, en el campo hospitalario, y muy particularmente en el quirúrgico, la musicoterapia proporciona buenos resultados como analgesia sonora. En efecto, la audición de músicas cuidadosamente seleccionadas antes de la operación, tranquiliza al paciente y permite disminuir las cantidades de anestésicos tradicionales. Un método perfeccionado por Jacques Jost[20] se utiliza particularmente en el caso de operaciones de niños. También se utilizan tales métodos en traumatología, en cirugía general y en ginecología en el período preoperatorio y en las mismas operaciones, también, para el período postoperatorio, normalmente tras el despertar clínico de las funciones fisiológicas, el paciente está solo durante el período difícil anterior al despertar psicológico efectivo.

Otro campo en el que el miedo al sufrimiento es importante es el de la preparación al parto. Se hace bien por sofronización sonora o por relajación bajo inducción musical. El primer método permite realizar una autoanalgesia por parte de la mujer embarazada. El segundo permite conseguir un mejor control corporal y una relajación profunda en el momento del parto.

La neonatología es otro sector de aplicación privilegiado de la musicoterapia, en el caso de recién nacidos enfermos o prematuros. Elisabeth Dardart, miembro del servicio de neonatos del Hospital de Evry, Francia, y miembro del Centro Internacional de Musicoterapia, fue la pionera en este tipo de iniciativas. Para compensar el traumatismo que sienten inevitablemente estos bebés, que además se encuentran bajo una vigilancia permanente, con lo que esto conlleva de continuos análisis y transfusiones, realizó dos montajes musicales que permiten suavizar el impacto emocional que este tipo de controles médicos puede acarrear a los recién nacidos.

También los padres pueden colaborar aportando la música que escuchaban con mayor frecuencia durante el embarazo, lo cual tiene un efecto muy positivo sobre los bebés.

La musicoterapia empieza a utilizarse de manera generalizada en las clínicas dentales. Así, algunos cirujanos dentistas y estomatólogos utilizan, ya veces, hasta en la sala de espera, músicas relajantes para bajar la tensión de los pacientes. El estado de relajación que provoca, permite reducir aun mismo tiempo la ansiedad y el dolor.»[21]

EJERCICIO 27
Escuchar los ruidos

Colóquese en posición de relajación. En un primer momento, concentrará su atención en los ruidos más lejanos que pueda percibir. No busque la naturaleza u origen de los ruidos. Limítese a escucharlos. Pausa... Luego debe centrar su atención en los ruidos que se producen en torno a su casa o edificio. Pausa... Los distintos ruidos de la habitación en que se encuentra. Pausa... Los diferentes ruidos de su propio cuerpo, en particular el sonido de su respiración. Pausa... Permanezca en constante conexión con este sonido regular y lento.

EJERCICIO 28
Escuchar el zumbido

Para crear un clima de relajación psíquica, es posible emitir sonidos que tienen la propiedad de transmitir vibraciones que actúan de manera beneficiosa para todo nuestro ser.

Inspire por la nariz, y con la boca cerrada pronuncie, al espirar, el sonido «AN», como si lo emitiera desde dentro de la garganta. Este sonido se parece al que emite el zángano.

Repita éste ejercicio unas diez veces.

EJERCICIO 29
El OM

En el vasto campo de experimentación que puede proponer el yoga, existe un conjunto de prácticas denominadas japa yoga. Se trata de repetir un mantra, es decir, un sonido psíquico que solamente se puede emitir mentalmente, que no sólo tiene repercusiones profundas en el ser, sino que también permite una comunión con la energía cósmica.[22]

Entre estos mantra, el OM es el más conocido y es el que sustituye a todos los demás.

En posición de relajación, repita OM m m m... en las espiraciones, prolongando el sonido el mayor tiempo posible. Sienta las vibraciones que acarrea y, para sentirlas mejor, no vacile en colocar sus manos sobre el pecho. Luego repita el OM, esta vez mentalmente e imagine que el sonido se prolonga hasta el infinito.[23]

EJERCICIO 30
Escuchar música

Ponga un disco o una cinta de una música dulce y colóquese en la posición de relajación que más le apetezca. Después de haberse relajado con uno de los ejercicios anteriores, déjese invadir por la música. Escúchela durante algún tiempo; como si las vibraciones sonoras emitidas se infiltraran por todo su ser, no sólo por los oídos sino también por los poros, el cráneo y los dedos de los pies.

Elija bien su música preferida, ya que debe ejercer sobre usted un verdadero masaje físico.

H. Cómo relajarse en movimiento

La relajación en movimiento consiste, en realidad, en utilizar un justo tono. Por eso, los gestos deben utilizarse conscientemente, sin precipitación. Para entrenarse, y al mismo tiempo para estirar todo el lado posterior del cuerpo, le proponemos el ejercicio siguiente.

EJERCICIO 31
Relajación en movimiento

1. De pie, con las piernas ligeramente dobladas, coloque los brazos tendidos hacia el cielo, en la prolongación de la espalda. Las muñecas deben permanecer flexibles y los dedos relajados.
2. Despacio debe bajar los brazos hacia el frente, debiendo estar éstos ligeramente doblados al nivel del codo, las palmas giradas hacia el suelo, con los dedos y los hombros relajados.
3. Cuando los brazos se encuentran paralelos al resto del cuerpo, déjelos colgados, al tiempo que deja caer los hombros.
4. Deje, muy despacio, caer la cabeza, el mentón, hacia el esternón.
5. Luego, siga con la evolución de este movimiento circular, centímetro a centímetro, vértebra por vértebra, dejando los brazos siempre relajados.

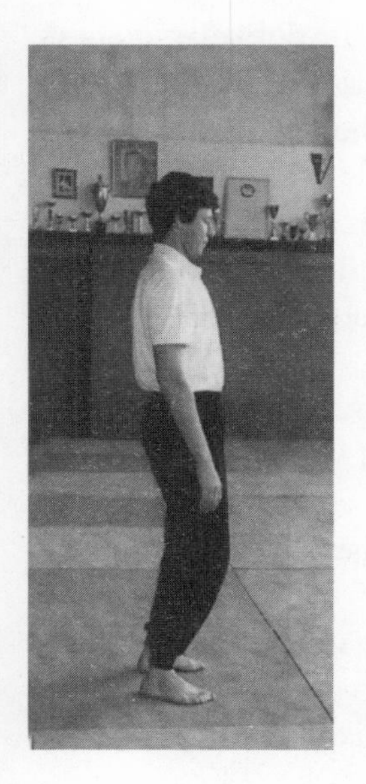

6. Cuando la espalda se encuentre totalmente curvada, con el vientre sobre los muslos, verifique perfectamente el estado de relajación de los hombros, del cuello, de las mandíbulas y de los dedos; relajación que se puede acentuar con espiraciones acompañadas de suspiros.

   Luego realice este ejercicio en sentido contrario.

Puede ejecutar este movimiento varias veces sabiendo que entre la posición uno y la posición seis pueden pasar varios minutos. Es usted quien ha de elegir la velocidad de ejecución; cuanto más lenta, más le permitirá sentir la globalidad de su ser.

Luego, cada día, intente adaptar este principio de movimientos al ralentí, a las distintas acciones de la vida cotidiana.

I. Cómo relajarse gracias a los masajes

Ya hemos evocado en «Cómo relajarse gracias a la sensibilidad del tacto», la importancia del tacto como receptor sensorial. Más de medio millón de fibras sensoriales ponen en contacto la piel con la médula espinal, pero también es una zona protectora y de intercambios, responsable de la protección mecánica del cuerpo por su resistencia a las presiones. Asegura también funciones complejas de regulación térmica –sudoración–, protección contra el calor y el frío, isotonía –mantenimiento de la concentración del agua de la célula por abundancia o restricción de la sudoración–, respiración –uno a dos por ciento de los intercambios–, inmunidad –protección contra los cuerpos extraños– y síntesis de la vitamina D.[24]

El masaje es una práctica sumamente simple y eficaz. Se recurre a ella en todos los países y desde hace millares de años. Tres mil años antes de nuestra era, textos chinos nos hablan de esta disciplina, así como en la India, el Tíbet y el antiguo Egipto. Hipócrates utilizaba los masajes para curar y prolongar la vida de sus pacientes, pero en la Edad Media se prohibieron estas prácticas a causa de las connotaciones sexuales y del placer que podía sentir el paciente. Luego, progresivamente, el masaje pasó de ser una práctica cotidiana, familiar, instintiva a ser exclusivamente terapéutica, confiada solamente a especialistas.

A partir de los años setenta, la influencia de Oriente emergió vía América y muy particularmente vía California. Paulatinamente, ante nuestra sociedad racionalizada, «tecnificada», «mecanizada», se reveló una toma de conciencia primordial: el ser humano habita un cuerpo que es un universo energético extraordinario; interesarse por él es poder contestar a las preguntas existenciales del ser humano, descubrir valores universales y atemporales; armonizarlo y equilibrar sus distintas funciones es poder luchar eficazmente contra los riesgos de enfermedades y estar mejor armado para enfrentarse a las exigencias de la vida cotidiana.

Existen numerosos métodos de masajes: masajes llamados suecos, californianos, el do-in, el shiatsu..., cada uno de ellos, por su parte, utiliza un conjunto de ejercicios más o menos específicos: roces, amasijos, fricciones, presiones, percusiones o vibraciones.

En caso de fatiga, de tensiones, ¡no es siempre sencillo encontrar un masajista profesional! Por eso el automasaje es una práctica muy útil y sencillísima de aprender. Estar pendiente de su salud, de su destino adquiere, en este caso, una plena significación. En efecto, tan sólo se utilizan las manos para masajear el conjunto del cuerpo o tan sólo una parte del mismo según el tiempo de que se disponga o de los efectos deseados, pero este automasaje, también llamado do-in, actúa asimismo sobre las zonas reflejas. La originalidad del do-in es actuar a distancia mediante lo que se conoce como zonas reflejas. Existen zonas y puntos del cuerpo –los puntos meridianos de la acupuntura forman parte de ellos– cuyo masaje activa el funcionamiento de los órganos internos. Se conocen las zonas reflejas de las plantas de los pies, a lo largo de la columna vertebral, sobre el cráneo, en el oído, etc. Al actuar sobre el conjunto del organismo –pues el automasaje do-in se ejecuta sobre todo el cuerpo–, los ejercicios propuestos mejorarán el sueño y aportarán al mismo tiempo dinamismo y relajación. De hecho, es este estado general de bienestar el que desde el principio sentirá el practicante.

Esto se traducirá en una sensación de sentirse más a gusto en su cuerpo, más eficaz en la actividad diaria y notará cómo el cansancio tarda en aparecer.[25]

EJERCICIO 32
Automasaje facial

¿Nunca se ha dado cuenta de que en multitud de ocasiones, espontáneamente, se da masajes en la frente cuando siente un ligero cansancio? Igual que el Señor Jourdain, practica el automasaje sin saberlo. Por tanto, no dude en escuchar lo que le dice su cuerpo, que incluso le pide todo lo que necesitan su salud y bienestar, al tiempo que le proporciona las herramientas: sus manos.

Antes de cada automasaje, frótese las manos hasta sentir que las palmas desprenden un fuerte calor. Luego

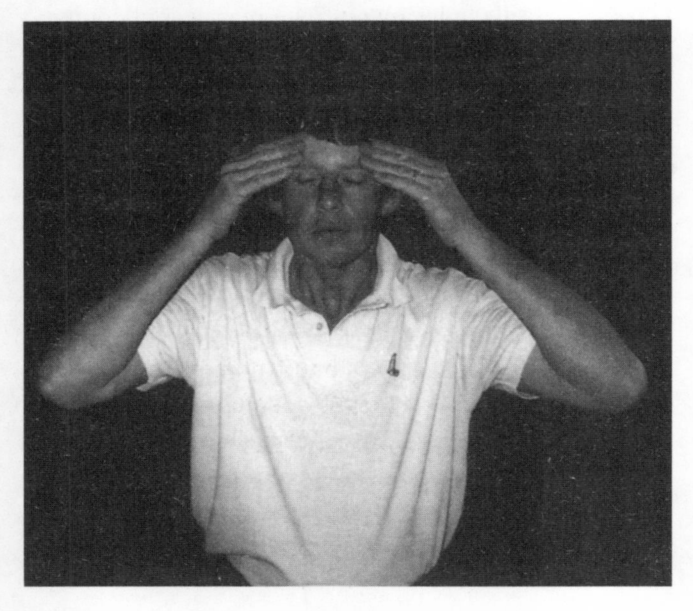

coloque los dedos de las dos manos en el centro de la frente y déjelos deslizarse despacio hacia las sienes. Ejecute de esta manera tres o cuatro deslizamientos. Luego masajee la zona de las sienes gracias a pequeños movimientos circulares. Continúe el automasaje presionando ligeramente las cejas, y posteriormente los párpados. Deslice la yema de los dedos a cada lado de la nariz en un movimiento de arriba hacia abajo y de abajo hacia arriba. Siga con el masaje de los pómulos y las mejillas. Roce los labios con las yemas de los dedos y proceda de la misma manera con la parte inferior de la mandíbula, partiendo de debajo de los oídos hasta el centro del mentón. Centre la atención sobre los efectos apreciados. También puede masajearse los oídos: el pabellón auditivo, el lóbulo, así como la parte interior del oído, verdadera acupuntura sin aguja; este método se utiliza de hecho desde una óptica terapéutica.

EJERCICIO 33
Automasaje de los hombros y la nuca

Seguramente habrá notado, que en caso de cansancio, de estrés, aparecen determinadas contracciones y tensiones en algunas zonas del cuerpo. Se trata de verdaderos bloqueos energéticos que crean masas musculares rígidas ya veces dolorosas. Algunos las sienten en la nuca, otros en los hombros o en la parte inferior de la espalda. Estas contracciones inútiles pueden ubicarse en cualquier sitio: la frente, las mandíbulas, los glúteos, los muslos, los tobillos...

Coja con la mano el músculo grueso, llamado trapecio, que está situado entre el hombro y el cuello. Masajee esta zona, a modo de amasar el pan, más o menos despacio según el grado de tensión apreciado. Actúe como si estuviera preparando una masa de repostería. Masajee también de esta forma el cuello, la nuca, de un lado y del otro, al cambiar de mano.

EJERCICIO 34
Automasaje de todo el cuerpo

Según el tiempo de que disponga, puede seguir con los automasajes referidos a nivel de las piernas –muslos y pantorrillas en particular–, de los glúteos y de la parte baja de la espalda.

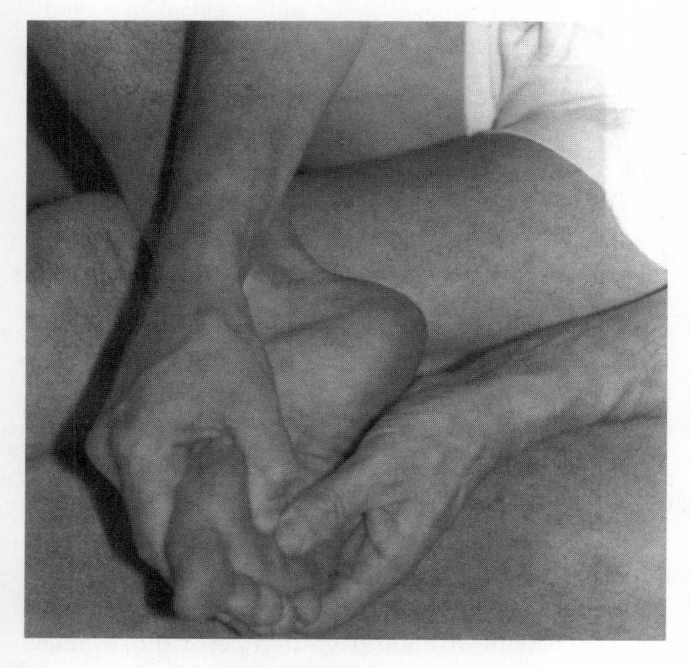

Automasaje de los pies

Puede terminar con un automasaje de los pies, en particular de las plantas gracias a una presión firme y continua de los pulgares con pequeños movimientos circulares con la yema de los pulgares, desde los talones hasta los dedos, que a su vez también pueden ser masajeados y estirados uno tras otro.

Obviamente, se pueden realizar todos estos ejercicios con un/a compañero/a. En este caso el consentimiento debe ser mutuo, es decir, que el donante debe tener realmente ganas de dar un masaje y el que recibe debe confiar en el buen hacer de su pareja.

J. Cómo relajarse en la vida diaria

Las oportunidades de relajarse en la vida cotidiana son mucho más numerosas de lo que se cree normalmente. Tan sólo es una cuestión de voluntad y costumbre; basta con decir «alto» al vagar mental o a las exigencias del momento presente que, globalmente, se pueden posponer algunos minutos.

EJERCICIO 35
Bostezo y contracción/relajación natural

Bien sea al despertar o en cualquier otro momento del día, ejecute este movimiento, que de hecho es tan indispensable que lo realizamos varias veces al día, pero en lugar de hacerlo sin pensar, tome conciencia del mismo.

Se compone de tres partes:

- Al inspirar, con la boca abierta, los brazos se alzan y se doblan, y los puños apretados se colocan entre el hombro y la oreja.

- Conteniendo la respiración, contraiga los hombros, los brazos, los puños, la cara y la parte alta de la espalda; ésta se levanta cuando el pecho se proyecta hacia adelante.
- Espire ampliamente por la boca mientras se relajan las partes del cuerpo anteriormente citadas.

Ahora, en lugar de esperar este movimiento reflejo, provóquelo lo más a menudo posible y, al ser completamente consciente de estas tres fases, su organismo sacará gran provecho de ello.

EJERCICIO 36
Relajación relámpago

Si, por ejemplo, trabaja en su mesa, tome el tiempo necesario –algunos minutos– para colocar la frente sobre la parte externa de las manos...

En esta posición, relaje los hombros, el cuello, las mandíbulas y la espalda.
Espire profundamente, suspire. Luego, durante dos o tres minutos observe su respiración.

Otras posiciones para la relajación relámpago.

Sentado en una silla, curve la espalda de manera que sitúe el vientre sobre los muslos, y relaje el cuello y los brazos. Respire tranquilamente y, mientras espira, déjese llevar por la gravedad.

EJERCICIO 37
Vigilancia frente a las crispaciones

El descuido y la precipitación son las principales fuentes de crispación. Ahora bien, en los actos de la vida cotidiana, es muy posible evitarlos ¿Cómo? Al observarse actuar, y adquirir una conciencia plena de cada uno de sus gestos. No se trata de «narcisismo». Al estar menos cansados y tensos ¿No somos más eficaces en las tareas que nos competen y no estamos más disponibles para con los demás?

Colóquese en la posición conocida como «calesero».
Con la parte exterior de las manos en las rodillas, deje caer la cabeza hacia adelante. Esta posición era la de los cocheros que descansaban, e incluso dormían, entre dos carreras o a la espera del regreso de su cliente.

Algunos ejemplos:

A menudo durante una conversación telefónica, se crispan los dedos cuando tan sólo deberían servir para mantener el auricular. La espalda se hunde, al igual que el cuello, lo que crea una sobrecarga de tensión en la columna vertebral.

No sólo hace falta colocarse correctamente en el automóvil, sino que a menudo también es necesario relajar los hombros y los dedos de las manos.

K. Cómo dormir mejor gracias a la relajación

Pasamos, de media, la tercera parte de nuestra vida durmiendo. El sueño es una necesidad vital y nadie puede prescindir de ello. La cantidad de sueño necesaria depende de cada individuo pero, de media, sabemos que un recién nacido duerme las dos terceras partes de su tiempo; que a la edad de cuatro o cinco años un niño necesita entre diez y doce horas de sueño; que el adulto duerme aproximadamente siete horas. Lo importante es estar fresco y descansado al despertar.

Cuanto más se estudia el sueño, más nos revela sus numerosos misterios. Lo que está claro es que dormir no es un estado pasivo. Está muy activo el cerebro durante este periodo, y gracias la electroencefalografía-estudio de los impulsos eléctricos extraídos del córtex cerebral– y a la miografía –registro gráfico de la contracción muscular–, se puede medir con exactitud la actividad mental y la tensión que subsiste en los músculos durante las distintas fases del sueño.

Hacen falta aproximadamente noventa minutos para alcanzar el sueño profundo. Durante los primeros minutos de sueño, la honda cerebral sigue presentando las irregularidades típicas del estado de vigilia. Cuando entramos en un estado de sueño más profundo, las ondas se hacen más largas y más grandes, viéndose intercaladas por pequeñas ondas en forma de dientes de sierra. Luego, se siguen ampliando las ondulaciones. En el momento en que el sueño es más profundo, el ritmo cardiaco y la respiración se hacen más lentos y regulares, al tiempo que los músculos se relajan por completo. A lo largo de la noche, pasamos de períodos de sueño más profundo a otros en los que éste es más ligero, entre los que se encuentran los períodos de sueños.[26]

Desgraciadamente muchas personas son víctimas del insomnio.

La mayor parte de las veces el insomnio es un fenómeno dependiente de la autosugestión. Son pocas las personas que no lo han sufrido alguna vez, pero también son pocos los que no pueden acabar con él. En la mayoría de los casos, este estado es imputable aun factor determinado: régimen alimenticio, ansiedad, circunstancias particulares o, simplemente, la falta de cansancio.

Sin duda el entorno desempeña el papel más importante. Puede pensar que está acostumbrado al ruido –y de hecho puede dormir de un tirón la noche entera–, pero eso no significa que su sueño no hubiera sido perturbado. Cuando los ruidos no son familiares, conocidos, pueden llegar a distorsionar gravemente el sueño. Es muy conocido, por ejemplo, que el sonido del mar normalmente estropea el sueño de los que no están acostumbrados a él. Las malas camas son muy a menudo responsables de los sueños difíciles, así como el ambiente cargado. No obstante, no es necesario dormir siempre con la ventana abierta. Si la habitación ha permanecido ventilada, tendrá bastante aire.

El régimen alimenticio también influye de manera decisiva sobre el sueño. Si usted cena copiosamente poco tiempo antes de acostarse, sufrirá probablemente las manifestaciones clásicas de la digestión. El queso y el café estimulan el cerebro; el queso produce una acción química parecida a la de las anfetaminas; el alcohol, como los barbitúricos, procura un sueño pesado, que no permite descansar.

Aunque son muy corrientes, los efectos de la angustia se presentan de manera más confusa, afecta más al sueño de las mujeres que al de los hombres, y más al de los hombres casados que al de los solteros. Cada uno de nosotros, hombre o mujer, debe pensar que en algunos momentos se tienen demasiadas preocupaciones como para poder conciliar el sueño correctamente: eso no es nada grave, pero existe una diferencia importante entre disminuir la duración del sueño a la mitad durante algunos días consecutivos, una o dos veces anuales, y perderlo en gran parte durante varias semanas seguidas. En este último caso debe reaccionar para deshacerse de su tensión nerviosa, particularmente aprendiendo a relajarse. Los medicamentos no resuelven nada y es conveniente tomarlos tan sólo como último recurso.[27]

El problema del sueño puede ser tratado desde tres perspectivas u ópticas diferentes:

- Preparando su sueño gracias aun sano gasto de energía ya una alimentación correcta, pero no siempre es suficiente.
- Para conseguir conciliar el sueño y aumentar su calidad le proponemos distintas técnicas que luego describiremos.
- No ser el esclavo de despertares frecuentes o de sueños desagradables.

No pretendemos, en este capítulo, resolver todos los problemas relacionados con el sueño, e incluso menos, dar recetas milagrosas. Sólo deseamos incitarle a experimentar los ejercicios propuestos para que, con una clara visión introspectiva, trate de solucionar las causas de tal o cual disfunción.

Ejercicio 38
Relajación global

Una vez en su cama, utilice una de las técnicas de relajación descritas con anterioridad, en particular:

- El ejercicio n.º 4: contracciones/relajaciones mejoradas y progresivas.

Y/o,

- el ejercicio n.º 8: mejora de la conciencia de los contactos, de ahí el interés de elegir sábanas que realmente le gusten, tanto en la textura como en el color.

Y/o,

- el ejercicio n.º 11: conciencia mejorada de todo el cuerpo.

Ejercicio 39
Imitar la respiración del sueño

Al practicar este ejercicio, cada uno debe poder encontrar su propio ritmo. Lo que se puede observar, en caso de insomnio, es el vagar mental. Para domesticar dichos pensamientos inútiles, la atención se debe centrar en la respiración. Al cabo de algunos instantes comprobará cómo cesa la agitación mental. Sumérjase entonces en el ritmo respiratorio característico del sueño: una inspiración corta, una larga espiración, una inspiración profunda con los pulmones vacíos.

Persevere cada noche en el cumplimiento de este ritual y déjese llevar por un sueño benéfico y reparador.

Ejercicio 40
Sugestiones positivas

Ya hemos evocado en el capítulo «Cómo relajarse gracias a la sugestión consciente», el interés de esta práctica en los ejercicios n.º 19 y n.º 20.

Después de haberse relajado, tiene que repetir varias veces:

- «Me dormiré fácil y profundamente.»

O,

- «la noche será larga y relajante.»

O,

- «dormiré de un tirón.»

O,

- «al despertar estaré en plena forma.»

Luego confíe en la inteligencia de su cuerpo y deje actuar a su subconsciente, que de hecho está alerta durante toda la noche.

Ejercicio 41
La programación

¿Qué es una mala costumbre sino un simple condicionamiento nefasto para su salud? Obviamente no somos ni robots ni máquinas, pero muchas de nuestras costumbres, que a veces se remontan a nuestra más tierna infancia, nos conducen en nuestros actos cotidianos: ¿comemos porque realmente tenemos hambre o por costumbre? ¿miramos la televisión porque nos interesa el programa o por el contrario apretamos el botón por automatismo?

Si observa su sueño, se dará cuenta de que cada mañana se despierta prácticamente a la misma hora sin necesitar tan siquiera del despertador. Otra vez, se trata de un condicionamiento.

Ahora, experimente el siguiente ejercicio: después de haberse sumergido en un estado de relajación, programe la hora de su despertar ¿Cómo? Repitiendo mentalmente «me despertaré a tal hora, en plena forma». Al mismo tiempo, visualizará la hora sobre la esfera del reloj. Hasta puede que lo consiga en el primer intento.

También puede programar sus sueños. Para esto basta con utilizar técnicas de visualización –los ejercicios n.° 12 al n.° 18–. En realidad, un sueño no es sino una serie de imágenes, que parecen más o menos incoherentes y que se presentan al espíritu durante el sueño. Ahora bien, con entrenamiento, es absolutamente posible actuar sobre sus sueños, al proporcionar al cerebro un conjunto de instrucciones. De hecho es lo que nos cuenta Bernard Werber:[28]

«En las profundidades de una selva de Malasia vivía una tribu primitiva, los senoïs. Organizaban toda su vida en torno a los sueños. De hecho se llamaban «el pueblo de los sueños». Todas las mañanas, en el desayuno, alrededor del fuego cada uno narraba sus sueños de la noche anterior. Si un senoï había soñado perjudicar a alguien, le debía dar un obsequio a la persona en cuestión. Si había soñado haber sido golpeado por uno de los que compartían el desayuno, el atracador debía disculparse y darle un regalo para hacerse perdonar.

»En esta tribu, el mundo onírico procuraba más enseñanzas que la vida real. Si un niño contaba haber visto un tigre y huir del felino, le obligaban a soñar la noche siguiente con dicho animal ya pelearse con él hasta conseguir su muerte. Los ancianos le explicaban cómo proceder. Si el niño no lograba, después, acabar con el tigre, recibía una reprimenda de toda la tribu.

»En el sistema de valores senoïs, si se soñaba con relaciones sexuales, había que llegar hasta el orgasmo y darle las gracias después, en la vida real, al amante deseado con un regalo. Ante los adversarios hostiles de las pesadillas, había que vencerlos y luego pedir un regalo al enemigo para que de esta manera se convierta en amigo. El sueño más deseado era el de despegar. Toda la comunidad felicitaba al autor del sueño del despegue. Para un niño, anunciarlo era una especie de bautismo. Se le cubría de regalos y posteriormente se le explicaba cómo volar en sueños hasta tierras desconocidas y regresar con ofrendas exóticas.

»Los senoïs sedujeron a los antropólogos occidentales, su sociedad desconocía tanto la violencia como las enfermedades mentales. Era una sociedad sin estrés y sin ambición de conquista guerrera. Tan sólo se trabajaba para conseguir el mínimo necesario para la supervivencia.

»Desaparecieron los senoïs en los años setenta, cuando se extinguió la parte de la selva que habitaban. Sin embargo, todos podemos empezar a aplicar sus conocimientos.

»Primero, recordar cada mañana el sueño de la noche pasada, darle un título y precisar su fecha. Luego hablar del sueño con su entorno, por ejemplo en el desayuno, como lo hacían los senoïs.

»Ir más allá todavía al aplicar las reglas de base de la onironáutica. Antes de dormirse elegir su sueño: mover las montañas, modificar el color del cielo, visitar lugares exóticos, encontrarse con los animales de su elección...

»En los sueños, cada uno es omnipotente. La primera prueba de onironáutica consiste en despegar. Extender los brazos, planear, caer en picado, subir en espiral: todo es posible.

»La onironáutica requiere un aprendizaje progresivo. Las "horas de vuelo" aportan seguridad en sí mismo. Los niños no necesitan más de cinco semanas para poder orientar sus sueños. En el caso de los adultos, a veces se requieren varios meses.»

L. Relajación para las mujeres embarazadas

No hay ningún problema en que las mujeres, durante su embarazo, continúen con su actividad física habitual: yoga, stretching, gimnasia dulce... El monitor debe adaptar las posturas y ejercicios al estado de gestación –tres, seis, nueve meses de embarazo–, y tener en cuenta la opinión del médico ginecólogo.

En cambio, si una mujer desea comenzar la actividad física durante el embarazo, es precisamente la relajación lo que necesita.

Ejercicio 42
Toma de conciencia de tres niveles respiratorios

Coloque las manos en el vientre y respire tranquilamente con esta región –cinco o seis respiraciones–. Luego, coloque las manos en las costillas –cinco o seis respiraciones–, más tarde en la parte superior del pecho, debajo de las clavículas –cinco o seis respiraciones–. Ejecute una respiración completa: larga inspiración desde la nariz hasta el vientre; continúe la inspiración en la zona de las costillas y posteriormente en la parte superior del pecho. Al espirar, deje que la zona abdominal se hunda, y espere la llegada de un suspiro.

Repita de cinco a seis veces esta respiración completa.

Ejercicio 43
Diálogo con el bebé

El niño se alimenta en el vientre de su madre, pero no sólo con los alimentos que son indispensables para su crecimiento. Los pensamientos, que son energías sutiles, «alimentan» verdaderamente el psiquismo del niño que va a nacer. El enviarle sugestiones positivas sólo puede contribuir a su pleno desarrollo armónico. Estas sugestiones deben ser sinceras y se pueden transmitir mentalmente en armonía con la respiración.

Ejemplos:

- Al inspirar: «eres magnífico»; al espirar: «realmente magnífico».
- Al inspirar: «te doy mi amor»; al espirar: «todo mi amor».
- Al inspirar: «estamos los dos maravillosamente bien»; al espirar: «maravillosamente bien».

EJERCICIO 44
Visualizaciones positivas adaptadas

El principio es el mismo que el descrito en el capítulo anterior, «Cómo relajarse gracias a la visualización»: ejercicios n.º 12 al n.º 18. Pero esta vez su visualización se concentrará en el niño, en su vientre. Estas visualizaciones pueden acompañarse de pensamientos positivos como los descritos con anterioridad.

Ejemplos de visualización:

- Al inspirar: inspire por la nariz una luz cálida, brillante y ligeramente azulada. Al espirar, esta luz invade su vientre y al ser que se encuentra allí.
- Imagine sus células de la zona del abdomen, luminosas, plenamente sanas y en perfecto funcionamiento.
- Imagine al niño que lleva dentro sonriendo y devuélvale su sonrisa.
- En estado de relajación, imagine que su hijo también se relaja.

EJERCICIO 45
El centro del universo

En posición de relajación, coloque sus manos sobre el vientre, ya no es usted quien respira, sino el universo entero. En cada inspiración, toda la energía cósmica invade su vientre, en cada espiración, todas las preocupaciones, las tensiones y los pensamientos negativos abandonan su vientre y son expulsados hacia el espacio infinito.

M. Relajación para los niños

Muy tempranamente, los niños pueden iniciarse en la relajación. En los colegios franceses, mediante el A.T.E., el reparto del tiempo y actividad del niño, se ha comprobado que a los cuatro años y medio, las nociones de contracción y de relajación se pueden experimentar sin problema. Por supuesto, se deben adaptar los ejercicios así como el vocabulario. Una presentación lúdica es muy conveniente para esta iniciación, como así lo confirman numerosos docentes que han participado en nuestras prácticas de «técnicas de bienestar para los niños» o que han puesto en práctica algunos de los trescientos ejercicios propuestos en *Yoga y expresión corporal para niños y adolescentes*.

EJERCICIO 46
La ola

Con las piernas ligeramente dobladas y la espalda estirada, los niños imitan con sus brazos el vaivén del mar en

la playa. Se representa el flujo mediante el levantamiento de los brazos, a la altura de los hombros; el reflujo mediante el descenso lento de los brazos, con las palmas giradas hacia el suelo, como «acariciando» la arena de la playa. Después se puede añadir un ritmo respiratorio: inspiración al levantar los brazos, espiración al bajarlos.

EJERCICIO 47
La plastilina

1. Un niño levanta el brazo de otro, que se ha convertido en «plastilina». Este último se debe dejar manejar. En un primer momento, el «escultor» levanta el brazo y lo deja caer para que el «esculpido» tome conciencia de la noción de contracción o «duro», y de relajación o «blando».
2. Luego, en un segundo momento, el escultor coloca a su pareja en cualquier posición.

EJERCICIO 48
La pequeña simiente

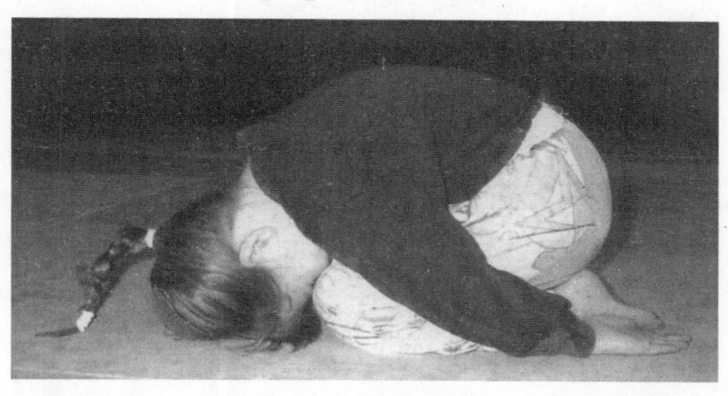

Es el invierno, la pequeña simiente se esconde bajo la tierra.

EJERCICIO 49
La muñeca de trapo

Hacer descubrir muy tempranamente la relajación a los niños. En esta actitud de escucha todo es posible: «te conviertes en una muñeca de trapo».

Para la relajación, no vacile en emplear música dulce si, mediante este método, pueden aparecer la calma y la tranquilidad.

Algunas posiciones para la relajación

Posiciones de relajación tomadas espontáneamente
en una sesión de un colegio mediante los A.T.E.

Representación de una flor... que se relaja. Hallazgo espontáneo de los niños durante la sesión siguiente.

N. Relajación, aprendizaje y creatividad

Todas las distintas teorías de aprendizaje nos hablan de la importancia de la atención en el proceso de memorización. En efecto, para aprender, es necesario que el individuo esté en posición de alerta para permanecer abierto, receptivo, disponible al objeto de estudio –o disponible para dar una respuesta precisa cuando se trata de una puesta en escena, en el caso, por ejemplo, de una formación práctica.

Esta apertura y disponibilidad serán aún más importantes ya que el individuo se habrá liberado de sus tensiones y de todos los obstáculos que no pueden hacer otra cosa que disminuir sus aptitudes: crispación, nerviosismo, estrés acentuado...

Las técnicas respiratorias y de relajación permiten obtener este estado de atención.

Ejercicio 50
Relajación y concentración

Después de una relajación relámpago –ejercicios n.º 10 o n.º 33–, al respirar tranquilamente, fije su atención en el centro de la frente, aproximadamente aun centímetro por encima del entrecejo.

Ejercicio 51
Relajación y memorización

Después de una relajación relámpago, con los ojos cerrados, proyecte, en su pantalla frontal, el texto o el gesto a memorizar, como si deseara verlo «impreso» o dibujado para siempre.

Ejercicio 52
La plena confianza

Si se enfrenta en vano a un problema o aun obstáculo que le impide progresar en una materia determinada, ya sea laboral o en su tiempo de ocio, colóquese cómodamente en posición de relajación e imagínese logrando superar el obstáculo referido.

Será, por ejemplo, para un deportista, la visualización de un salto de pértiga de cinco metros y medio, si no puede superar los cinco metros con cuarenta centímetros.

Un músico se imaginará tocando con muchísima facilidad el pasaje de una partitura que en la actualidad le plantea muchos problemas.

En realidad el principio es crear un escenario, una visualización positiva para darse todas las oportunidades de éxito.

EJERCICIO 53
Dé rienda suelta a su vena artística

La creación artística sigue siendo un gran misterio. Algunos defienden la idea de que se trata de un don, mientras otros afirman que se trata del producto del trabajo. En realidad, los dos puntos de vista son acertados, pero no se trata de lo mismo. Efectivamente, es necesario trabajar mucho la herramienta utilizada, que no es sino un medio para expresar lo que se siente, lo que somos, lo que pensamos...

Se trabaja la escritura si nos expresamos como novelistas, articulistas, guionistas de cine o compositores de obras teatrales; trabajar su pincel cuando se expresa mediante el dibujo, su cincel si se trata de un escultor, la técnica fotográfica si es fotógrafo y el gesto o la voz si es actor...

Entonces la expresión se facilitará y podrá surgir la creación ¿un don? ¿una inspiración? El problema sigue vigente. Lo que sí es seguro, es que la expresión artística llamará mucho más la atención si es la obra de un ser verdadero, auténtico y profundo. El artista se deja «impregnar» de multitud de «impresiones» que luego transforma ayudado de su alquimia interior. Ahora bien, en estado de relajación –o de meditación–, es el ser interior el que toma las riendas y todo se vuelve puro, espontáneo, liberándose por completo la expresión, al tiempo que deja de estar contaminada.

Entre en estado de relajación –o de meditación–. Posteriormente, cualquiera que sea su medio de expresión, deje que surja la creación; conviértase en espectador de esta fuerza que se expresa a través de usted, que no es sino una manifestación, entre otras, de la energía universal. Cuanto más deje que ésta actúe, más bello y con mayor fuerza resultará el producto de su obra.

Más tarde, como decía Lao– Tse, «una vez culminada la obra, retírate, tal es la ley del cielo».

O. Relajación, estrés y terapia

André Van Lysbeth cita, en su revista *Yoga,*[29] la historia de una de las participantes en sus prácticas, que tiene un quiste con hemorragia. Entonces le sugirió que «cada día, se interiorizase en aquel lugar en el que se encontraba el quiste». Cuatro meses más tarde cuenta esta participante lo siguiente:

«He hecho lo que me ha dicho, es decir, me he interiorizado cada día en el lugar en el que sentía la presencia del quiste y siempre hasta el punto de sentir esta zona muy caliente, al poco tiempo, las hemorragias empezaron a disminuir y cesaron, lo que me incentivó a persistir. Más tarde, cuando volví al ginecólogo, éste se quedó asombrado sin poder mas que atestiguar la desaparición del quiste. Como insistía en preguntarme lo que había hecho, le conté lo que sucedió. Se sorprendió y hasta se ofendió al enterarse de que ni tan siquiera había empezado el tratamiento que me había prescrito, pero dijo, ya que no quedan rastros del quiste les esto lo único importante!»

Este caso de curación «espontánea» no es único, y solamente confirma la extraordinaria potencia de la mente; en realidad este fenómeno no es sino la aplicación de una ley irrefutable: al lugar al que se dirige la mente, se dirige la energía.

Las observaciones realizadas sobre centenares de enfermos por Carl Simonton, radioterapeuta especializado en el estudio de los cánceres y Lawrence Le Shan, psicoterapeuta, así como los descubrimientos científicos del Profesor Soulairac, del Hospital Cochin de París, han demostrado la importancia del psiquismo en la inmunidad del organismo. Gracias a nuestro sistema inmunológico, la mayoría de nuestras enfermedades potenciales se curan por sí mismas ¿Por qué estos mecanismos de autocuración no funcionan siempre?

Los estudios experimentales realizados por Hans Seyre, sobre el estrés, pusieron de manifiesto la influencia de éste en el desencadenamiento de las enfermedades.

La enfermedad tiene un sentido: es el mensaje enviado por nuestro cuerpo para avisarnos de que hemos superado nuestro umbral de adaptación, bien sea en el plano físico como en el psíquico.

Los agentes estresantes externos o internos, físicos o psicológicos son tan numerosos y variados que no podemos escapar de ellos.

Sin embargo, podemos aprender a dominarlos ya desarrollar nuevos modos de reacción: una botella, llena hasta la mitad, se puede ver como una botella medio llena o medio vacía.

¿Por qué, con el mismo diagnóstico médico, ciertos enfermos se curan y otros ven cómo empeora su estado? La actitud mental ante la enfermedad, permite a los primeros creer en la curación e intentarlo todo para conseguirla, mientras los segundos se dejan invadir por ella. Para aumentar sus posibilidades de curación, tiene el enfermo que responsabilizarse y creer en una posible victoria del organismo sobre la enfermedad.

Las técnicas de relajación y de visualización positiva constituyen unas excelentes herramientas para dominar el estrés. Permiten, si su práctica es regular, mejorar el estado de salud del enfermo, e incluso llegar a la curación, tanto como puede mejorar su revés en el tenis o aumentar sus posibilidades de éxito en un examen, como por ejemplo la preparación de Killy, el conocido esquiador francés, para los Juegos Olímpicos.

La relajación muscular es un conductor medio para hacer que el organismo sea más receptivo a los mensajes que le envía el cerebro, ya que disminuye las tensiones y el ritmo de la actividad eléctrica cerebral, la transformación del ritmo de ondas beta a ondas alfa.

Visualizar significa representar lo que sea, bajo forma de imágenes mentales, como por ejemplo: Killy se imagina esquiando, el enfermo imagina sus glóbulos blancos luchar contra los microbios, etcétera.

La visualización positiva permite la elaboración consciente de un programa de informaciones positivas bajo la forma de imágenes mentales, vehículos privilegiados de la información. Cuando se «imagina» una información, ésta moviliza los mismos circuitos neurológicos que la verdadera puesta en escena. La diferencia solamente existe a nivel de la intensidad registrada. Imaginar que se actúa sobre el cuerpo ya es actuar sobre el cuerpo. Así, visualizar el proceso de su curación es un medio eficaz para desencadenar en el cuerpo una puesta en escena, ya se trate de reducir una inflamación, de eliminar unas células indeseables, de liberar circuitos bloqueados...

La repetición de los ejercicios de relajación/visualización crea determinado condicionamiento y desarrolla una adecuada aptitud para el pensamiento positivo.

No son tanto los acontecimientos en sí los que son importantes, sino más bien la manera en que reaccionamos. La enfermedad puede ser un «mensajero» que aprieta el botón de alarma para permitirnos reflexionar sobre nuestro modo de vida y descubrir los verdaderos valores.

Las técnicas de relajación pueden ser también sumamente útiles ante el dolor. Citaremos a Anne-Marie Carlier quien expone de una manera clara y precisa su experiencia con los enfermos.[30]

«En el tratamiento del dolor, la relajación es una técnica que a menudo se propone a los pacientes cuando el dolor está relacionado con una tensión muscular o cuando se trata de luchar contra la ansiedad que lo acompaña. En efecto, el dolor está considerado como una causa importante del estrés, y se sabe que un dolor duradero genera numerosas emociones negativas y desagradables como la tristeza, y el miedo al diagnóstico y al porvenir. Éstas, a su vez debilitan al individuo y acarrean una reacción exagerada del mismo ante las otras causas de estrés y enfermedad; son numerosas en el caso de una enfermedad grave que incluye tratamientos difíciles (preocupaciones familiares, sociales y profesionales). La gente se hace fuerte ante la enfermedad, pero eso lejos de ayudarles lo que hace es acentuar el dolor, prolongándolo. Se crea un círculo vicioso entre el dolor, la tensión muscular, la ansiedad y el estrés que la relajación intenta romper al actuar a nivel de la tensión muscular. La relajación voluntaria del tono muscular contribuye a disminuir la tensión emocional, lo que reduce la ansiedad y aumenta el umbral de tolerancia al dolor.

¿Cómo integrar la relajación en la práctica sanitaria?

La condición previa para cualquier utilización de esta técnica es, obviamente, la de tener experiencia personal para comprender lo que siente el paciente.

Se puede utilizar bien sea de manera puntual durante las curas con ejercicios muy simples, o bajo la forma de un aprendizaje regular en seis u ocho sesiones, y en el marco de una consulta.

Utilización durante las curas

Cuidar de los enfermos que sufren, efectuar curas dolorosas, preparar a los pacientes para el dolor... La confrontación con el dolor es un aspecto penoso y difícil de nuestro trabajo. En el caso de un paciente que repentinamente padece de graves sufrimientos, hace falta una prescripción médica y que la droga analgésica surta sus efectos. A veces es insoportable: uno no para de mirar su reloj, vuelve a llamar al médico... y el paciente sigue invadido por el dolor y la angustia. Hacerlo respirar tranquilamente, concentrarse en la relajación de un brazo o de la cara, permite atravesar de manera menos dramática este momento. En este caso la relajación presenta un doble interés: dominio del dolor para el paciente y disminución de las angustias e impotencias del personal sanitario.

También puede modificar completamente la relación entre el paciente y el personal sanitario. La sedación mediante fármacos no es siempre posible en el caso de curas dolorosas, para evitar tanto la llegada del dolor como que el paciente tenga miedo al mismo, muchas veces los ejercicios de relajación pueden ser una ayuda eficaz. Esta técnica nos obliga a colocar cómodamente al paciente, a distraer su atención de las curas ya situarlo en unas condiciones en las que se sienta seguro, ya que sabe que el dolor está bajo control y que existe un medio de dominio sobre su recrudescencia potencial. El personal sanitario puede utilizar este tiempo para vigilar mejor al paciente, para pensar mejor y adaptarse a la situación de la manera más conveniente.

También el dolor representa un obstáculo para el sueño, de nuevo en esta ocasión la relajación representa una ayuda importante.

El aprendizaje

La condición esencial es el consentimiento del paciente. Hay que explicarle correctamente que se trata de una ayuda para hacer frente al dolor. No se puede, de ninguna manera, dejarle pensar que el personal sanitario cree que su dolor es de origen psicológico, o que la relajación puede sustituir al tratamiento analgésico. Por otra parte, este aprendizaje no puede empezar cuando el dolor ya es demasiado fuerte, y la enfermera no puede utilizar la técnica de la relajación con pacientes que padecen enfermedades psiquiátricas.

Es necesario practicar una evaluación previa para conocer con certeza lo que el paciente conoce acerca de la relajación, sus posibilidades de concentración y el nivel de tensión para poder determinar correctamente la duración de las sesiones –entre cinco y veinte minutos– así como la elección del método. Una sesión excesivamente larga o en un principio demasiado estática, puede provocar un sentimiento de fracaso y aumentar la ansiedad.

Cuando el paciente reacciona favorablemente, se le puede dar una cinta audiovisual para que se entrene regularmente.

Los beneficios

La relajación es un medio de:

- Mejorar el sueño y disminuir el cansancio.
- Distraer la atención del dolor.
- Hacerse más fuerte ante el dolor y sus variaciones de intensidad.
- Restaurar la confianza en sí y apoyarse en sus recursos interiores.
- En cierto modo, para recuperar el dominio absoluto sobre su cuerpo ya que un dolor duradero atrae toda la atención sobre la zona en cuestión y, mientras esta zona empieza a hacerse omnipresente, las otras partes del cuerpo pierden su importancia.

Este nuevo dominio del cuerpo, este reforzamiento de sí mismo mediante una actitud activa, en la que se afrontan las situaciones y no se actúa de manera pasiva, puede modificar, por lo tanto, considerablemente, la sensación del dolor y disminuir los factores de amplificación y duración. Esto beneficia muchísimo al paciente y también es bueno para el personal sanitario desde el momento en que lo entrena para afrontar situaciones difíciles.

Ejercicio 54
Sugestión para la salud

En posición de relajación, practique uno de los ejercicios descritos anteriormente y, mentalmente, diga:

- «Tengo un perfecto estado de salud» o,
- «mi vitalidad no deja de aumentar» o,
- «me lleno de la energía universal que me proporciona curación y salud.»

Ejercicio 55
Visualización para la salud

En posición de relajación, visualice, en el centro de su cuerpo, un sol magnífico que con sus rayos benéficos irradia todo su ser. Véanse también los ejercicios n.° 24 y n.º 25.

Ejercicio 56
Visualización y sugestión en caso de enfermedad

Como ya hemos citado en el ejemplo de la paciente que tenía un quiste, debe interiorizarse, en estado de relajación, y centrar su atención en el lugar del cuerpo que padece la enfermedad; o visualice su «sistema inmunológico» en plena acción mientras va recogiendo las células muertas o al borde la muerte.

«Se pide a los pacientes que visualicen el ejército de glóbulos blancos en formación, movilizado contra el cáncer al llevarse las células malignas que han sido debilitadas o eliminadas por las partículas de radiación de alta energía mandadas por la máquina de cobalto, el acelerador lineal u otras fuentes.»[31]

En caso de desear dejar de fumar, de drogarse o beber, la técnica de autosugestión puede emplearse a condición de estar motivado y ser perseverante. Dirá, en estado de relajación: «Se acabó el tabaco» o, «se acabó el alcohol», ya que se trata de reacondicionar una mala costumbre como ya dijimos en el ejercicio n.º 38.

Nota: obviamente, estos consejos y ejercicios no excluyen el tratamiento médico. El ideal es hacerlo todo –tratamiento médico y relajación– para evitar una disfunción energética, es decir intentar permanecer siempre en ARMONÍA.

Gracias a la relajación, intente descubrir sus propios ritmos y los del universo así como las leyes que rigen el mundo.

P. Relajación y conocimiento de sí mismo

¿Qué cuerpo habito? ¿Cómo funciona? ¿Qué alimentación me conviene para el mejor desarrollo del mismo? ¿Qué es lo que me incita a actuar de talo cual manera? ¿De dónde vienen mis pensamientos, cómo se fabrican? Intentar responder a estos interrogantes no es egocentrismo ya que, una vez efectuada esta interiorización y búsqueda, se rompen las ilusiones y podemos ver la realidad claramente. Vivir en la ilusión no puede sino crear un desfase cada vez más importante con el momento presente, y la insatisfacción que nace de ello sólo puede proporcionar decepción y desánimo; amenaza con provocar estrés.

Ser más lúcido es también ser más libre ¿No soy un esclavo si tan sólo me dejo llevar por mis deseos y pensamientos? ¿Puedo ser realmente libre cuando no puedo dejar de fumar, sigo abusando del alcohol, el café olas drogas?

«Concentrarse en sí mismo no es una actitud egoísta sino un medio de renovar los recursos propios y, por tanto, de estar más disponible para con los demás. Se trata incluso de un gran respeto hacia el prójimo, de una prueba de amor para con los de su entorno el intentar hacerles compartir un espíritu positivo dentro de un «vehículo» corporal sano, dinámico, abierto y radiante de vitalidad ¿Por qué hacer sufrir a las personas que quiero compartiendo mis problemas, que además en muchas ocasiones son momentáneos, mis angustias, cuando mis seres queridos deben responder por sí mismos a todas las exigencias de la vida?»

La relajación puede constituir un excelente medio para facilitar la costumbre a la introspección y, como ya hemos visto, hasta permite a la mente «positivar» imágenes gracias a la visualización o a la autosugestión.

Le proponemos algunos ejercicios que permitirán realmente «que la luz se haga en usted». Se colocará boca arriba, y se relajará con los ejercicios de los capítulos «Cómo relajarse gracias a la sensibilidad del tacto» y «Relajación gracias al camino seguido por la conciencia» .

EJERCICIO 57
El camino seguido por los pensamientos

Una vez bien relajado, deje surgir un pensamiento, cualquiera que sea. Luego observe cómo se fabrican las que se conocen como asociaciones de ideas. Tome conciencia de que estas palabras o imágenes que le pasan por la mente están «almacenadas» en su memoria. La costumbre de su observación le permitirá, poco a poco, convertirse en un espectador habitual de esta producción que se desarrolla como una película.

EJERCICIO 58
Observar el nacimiento de un deseo

Tal y como los tentáculos de un pulpo, nuestros sentidos quieren apoderarse de los objetos de nuestro deseo ¿Cuántos de ellos son realmente útiles? ¿Su apropiación no satisface sino un deseo fútil e ilusorio? Lo peor que puede sucederle es convertirse en un ser desgraciado por el simple hecho de no haber satisfecho un deseo ¿No nos comportaremos entonces como niños caprichosos? A veces, incluso, nos dejamos invadir por un simple deseo momentáneo que después acaba por convertirse en una obsesión.

Siga en posición de relajación, y considere su deseo actual como algo extraño y no como una parte integrante de su ser. Obsérvelo tal y como un científico observaría un objeto cualquiera: ¿Cómo se ha formado? ¿Por qué ha aparecido precisamente hoy? ¿Es indispensable para nuestro equilibrio? ¿No busca a través de la satisfacción de este deseo compensar algo que le falta, un estrés o una angustia momentánea? ¿Ha reflexionado sobre las consecuencias de la satisfacción de este deseo? ¿y después de la satisfacción de este deseo no nacerá otro y otro más? ¿No tiene la impresión de ser el juguete de una especie de atracción de feria que le seduce por las luces y la música? Gracias a su costumbre de relajación, concéntrese en su cuerpo, en su respiración y los deseos desaparecerán como por arte de magia para dejar sitio a una profunda serenidad.

Ejercicio 59

Observación de una preocupación, de un problema

«Todo llega, todo pasa y todo se borra.» Este adagio es verdadero y le debe ayudar a ser más fuerte para, por lo menos, superar el obstáculo que viene a perturbar su equilibrio y armonía.

Haga el esfuerzo de relajarse y emplee la técnica de los guiones cinematográficos. Es en lo que consiste este ejercicio:

Cuando buscamos una solución aun problema, tenemos por costumbre no tomar en cuenta TODAS las soluciones posibles. En efecto, muy pronto pensamos en las dificultades relacionadas con cada una de las soluciones encontradas.

Para este ejercicio, no se ocupe de las dificultades. Intente sólo pensar en todos los guiones posibles e inimaginables para solucionar el problema actual.

Sin embargo, ¿por qué es necesario estar en un estado de relajación para ejercitar este proceso?

Simplemente porque la mente, al no estar agitada, le permitirá considerar las cosas de una manera más clara, al igual que se puede observar más fácilmente el fondo del mar cuando éste está tranquilo.

Tomemos el ejemplo de una situación, que es, actualmente, cada vez más frecuente:

Después de haber sido despedido, debe apuntarse en las listas de desempleo. En lugar de quejarse, abandonar toda esperanza, emplee la técnica del guión: ¿Cuales son, ahora, todas las posibilidades que me ofrece mi nueva situación? Empezar una nueva formación, buscar un nuevo empleo en la misma actividad, cambiar de profesión, ir al extranjero; al estar casado, deja de trabajar y su pareja gasta menos, descansa algunos meses para reflexionar sobre su situación, vende todo lo que puede... Obviamente piensa que algunas de estas propuestas son absurdas o imposibles de realizar, pero de momento, no se preocupe de ello: ¡busque todas las soluciones, nada excepto soluciones, siempre soluciones!

y después, haga la lista, para cada solución, de todas las dificultades VERDADERAS que le impiden elegir. Se dará cuenta de que a menudo, las susodichas dificultades son solamente la consecuencia de puntos de vista, costumbres de vida, que pueden ser transformadas sin dificultad. Cuando no se quiere hacer nada, siempre aparecen las excusas. Cuando se quiere actuar, siempre se encuentra un medio.

EJERCICIO 60
Observación de su propio comportamiento

Al estar acostumbrado a la práctica de la relajación, le es posible encontrar este estado en cualquier momento. Ahora que lo sabe, puede hacerlo cuando le plazca. Entonces, cuando una ira exagerada le «saca de sus casillas» y posteriormente acaba por lamentarlo, no vacile: concéntrese, por ejemplo, en la respiración. O cuando un sentimiento de celos le estropea la existencia o que un tenaz rencor le impide vivir con plenitud, interiorícese, relájese y, con lucidez, no se convierta en el esclavo de sus sentimientos.

En cambio, gracias a la relajación, desarrolle un sentimiento de alegría, de libertad y de plenitud.

Q. Relajación y comunicación

Es paradójico constatar que nuestra sociedad, en la que reina la comunicación, tantas personas sufren de... ¡falta de comunicación!

Expresar sus necesidades, sus deseos, sus dudas, temores, satisfacciones, desacuerdos: todo eso debe poderse decir de forma abierta y muy claramente a su interlocutor, «aquí y ahora» para que lo que sienta, lo que piense pueda ser tomado en cuenta. Esa costumbre evitaría muchos disfuncionamientos, ya sea en el plano profesional o familiar, o bien dentro de cualquier tipo de reuniones.

Una comunicación verdadera y auténtica no puede realizarse si no es como resultado:

- De un acuerdo, primero consigo mismo, como ya lo dijimos en el capítulo anterior.
- De un comportamiento menos estresante, para lo que le podemos proporcionar los medios de hacer que el estrés sea positivo.
- De una disminución del ego; el hecho, por ejemplo, de querer llevar siempre la razón no puede sino acarrear un bloqueo en la comunicación, ya que cualquier intento de argumentación por parte del o de los interlocutores es inútil.
- De la aptitud de escuchar, recibir la palabra del otro para que reine un verdadero diálogo, pero el lenguaje verbal no es la única herramienta de comunicación, el cuerpo entero participa de cualquier intercambio mediante el gesto o el conjunto de los sentidos. Ahora bien, cuanto más relajados estamos, más aptos nos encontramos para alcanzar un estado propicio de re-

ceptividad ante cualquier diálogo sincero, profundo y receptivo.

Esta relajación debe ser muscular, pero también y sobre todo mental. En efecto si, por ejemplo, puedo ver, es porque las informaciones captadas llegan a la mente por medio del sistema nervioso. Cuanto menos preocupados estemos, observaremos nuestro entorno con mayor predisponibilidad. En cambio, si estamos estresados nada nos interesa, y no se «graba» nada ya que los sentidos no desempeñan su papel correctamente al estar la central paralizada.

Cuatro quintas partes del material grabado por nuestra memoria dependen de lo que vemos, desde los detalles de un paisaje hasta las lecciones aprendidas en los libros. Esto demuestra el papel que representa nuestra vista.

Lo que percibimos del mundo exterior, sin embargo, no ocupa más espacio que un sello. En efecto, todas estas imágenes se proyectan en una especie de pantallita que cubre el fondo del ojo: la retina. Allí son captadas por las células nerviosas especializadas: los conos y los bastones. Cada ojo comprende más de cien millones de bastones y aproximadamente siete millones de conos. Son los responsables de la visión en blanco y negro bajo una luz tenue y de la percepción de los movimientos. Los conos graban los colores y los detalles precisos, pero solamente a plena luz. Conos y bastones traducen todas las imágenes que reciben en un impulso nervioso. Transmitiendo dichos mensajes mediante el nervio óptico al cerebro donde son colocados, unidos e interpretados por el centro de la visión. Es este «montaje» operado por el cerebro el que finalmente determina lo que vemos.[32]

El ojo «coge» continuamente imágenes para transmitirlas al cerebro mediante el nervio óptico. Estas imágenes son seleccionadas y almacenadas en la memoria, al tiempo que son susceptibles de ser encontradas con posterioridad. Así, la visión no depende únicamente del mecanismo del ojo, que funciona como una cámara fotográfica y que proyecta la imagen plana del mundo exterior sobre la retina –la pantalla–. Bien sabemos que la visión empieza tan sólo cuando el cerebro entra en acción para interpretar la imagen que existe en la retina.

El ojo utiliza ésta última como una especie de andamiaje alrededor del que ha de construir una imagen mental, más completa y más útil de la realidad. Almacena en la memoria numerosos datos visuales muy precisos del mundo que nos rodea y los utiliza paulatinamente, para completar y explicar cualquier imagen incompleta o ambigua proporcionada por la retina.

«En un campo de batalla, por ejemplo, un vistazo de un segundo permite al soldado de infantería fotografiar sobre su retina una mata de plantas de la que sale un objeto circular. Instantáneamente, el cerebro del soldado busca en sus datos hipótesis aceptables y en pocos segundos elabora una imagen mental que representa un tanque enemigo camuflado entre las ramas. El soldado no sólo ha visto con sus ojos, sino también con su cerebro».[33]

Así, se recurre continuamente a la visión y, por tanto, es necesario mantener los distintos instrumentos y también relajar los músculos, los ligamentos y los nervios que la componen.

EJERCICIO 61

Gimnasia de los ojos

Con los ojos cerrados, dibuje, con la mirada, estas distintas figuras geométricas. Entrénese cada día cinco veces para cada dibujo.

Una cruz +, un ocho horizontal ∞ y un círculo ○ en un sentido y en otro.

EJERCICIO 62

Masaje de los ojos

Véase también el ejercicio n.º 32. Frótese una mano contra otra hasta que se calienten mucho. Coloque las palmas sobre los párpados cerrados y ejecute lenta y delicadamente un movimiento «deslizado» hacia las sienes. Ejecute de cinco a seis veces este automasaje calentando las palmas antes de cada uno.

EJERCICIO 63

Visualización

También para este ejercicio ha de colocar las palmas de las manos sobre los párpados cerrados. Luego deje que un color azul invada su frente. Aunque algunos científicos no estén de acuerdo en que la fotología, o terapia de los colores sea una ciencia ¡el mundo publicitario se toma los colores muy en serio! En embalajes y carteles son muy cuidadosamente compuestos de manera tal que atraigan la atención y susciten ciertas reacciones.

Más de mil quinientos hospitales y establecimientos correccionales de los Estados Unidos poseen la habitación rosa tranquilizadora para apaciguar las perturbaciones del comportamiento.

Si no puede visualizar estos colores –azul o rosa–, quédese mirando durante uno o dos minutos una hoja de papel rosa o azul antes de cerrar los ojos e intentar quedarse impregnado por este ambiente colorido.

Ejercicio 64
Relajación

Mientras está tendido o sentado en una silla, cierre fuertemente los ojos y contraiga los párpados, las cejas y la frente durante algunos segundos. Luego relaje lentamente toda esta zona. Debe realizar este ejercicio entre cinco y seis veces.

Más tarde tómese tiempo para mirar, e incluso aunque sea rápidamente, una lámina de anatomía para observar la estructura de un ojo. Después utilice la técnica de relajación descrita en el apartado «C», es decir «Relajación gracias al camino seguido por la conciencia». Recorra de esta forma, desde el interior, sus ojos –pupila, córnea, retina... el nervio óptico– y relájelos. Ayúdese, si es necesario de la respiración y de la autosugestión:

- Inspiración, visualice sus ojos y diga: «mis ojos están relajados».
- Espiración, diga: «perfectamente relajados».
  Haga diez veces este ejercicio.

Para comunicarse mejor, la relajación es de gran eficacia. Para estar perfectamente disponible, abierto, receptivo, entrénese cada día si es posible, y se abrirá su campo de conciencia: una apertura al mundo ya los demás, una mayor interiorización y una escucha de sí mismo más profunda (para el sentido del oído y del tacto, véanse los capítulos correspondientes: «Cómo relajarse gracias al sentido del oído», «Cómo relajarse gracias a los masajes» y «Cómo relajarse gracias a la sensibilidad del tacto»).

R. Ejemplos de relajación

No tiene ni el tiempo, ni las ganas ni los medios como para seguir regularmente sesiones de relajación. O simplemente desea practicar más. Pídale a una persona de su alrededor que le lea el siguiente texto o simplemente grábelo. Luego, regularmente, gracias al texto que le proponemos, sumérjase en un estado de relajación que le permitirá recuperarse, acostumbrar realmente su cuerpo y armonizar de esta forma todas sus energías.[34] Colóquese en una posición cómoda en la que pueda aguantar mucho tiempo sin ninguna molestia, pero antes, ejecutará algunos ejercicios, algunos movimientos que le permitirán liberarse de sus tensiones. También le proponemos técnicas respiratorias que favorecen la concentración y la tranquilidad mental.

Póngase de pie, con los brazos paralelos al tronco. Al inspirar, cierre los puños y, con los brazos tendidos, levante los hombros hacia los oídos. Con los pulmones llenos, contraiga aún más los puños, los brazos y los hombros. Al espirar, relaje los brazos, los hombros, las manos. Haga otras tres veces el ejercicio.

El mismo principio de trabajo ha de seguirse con el vientre, los glúteos y las piernas. Inspire, contraiga el vientre metiéndolo hacia adentro, los abdominales, los glúteos y los muslos. Con los pulmones llenos, contraiga aún más estas zonas. Al espirar, relájelas.

Haga otras dos veces más este ejercicio.

Ahora, contraiga y relaje el conjunto del cuerpo. Contraerá todas las partes del cuerpo descritas con anterioridad añadiéndoles los pies, los dedos, las mandíbulas, la frente, las cejas y los párpados.

Al inspirar, contraiga todo el cuerpo. Con los pulmones llenos, contraiga, contraiga al máximo. Al espirar, relájese.

Haga otras dos veces más este ejercicio.

Para que se relaje incluso más profundamente, se dará masajes en la cara. Coloque los dedos en el centro de la frente y, despacito, regularmente, masajéela con la yema de los dedos, desde el centro hasta las sienes, tres o cuatro veces. Haga lo mismo con los párpados. Masajéelos delicadamente. También debe darse masajes en las cejas, en el contorno de los ojos y en la nariz. Al llegar a las mejillas, imagine que está masticando un gran chicle. Mastíquelo abriendo mucho la boca, de forma que se relajen las mandíbulas. Sobre todo no se impida bostezar. Luego masajéese también debajo de las mandíbulas y debajo de los oídos hasta llegar al mentón. Sienta el calor en su cara. Los hombros, los brazos, están sueltos. Ahora, para continuar con esta relajación, túmbese boca arriba o siéntase en una silla.

PRIMER EJERCICIO

Como primer ejercicio, combinará la respiración con la visualización. Una buena respiración es primordial para la salud y para el equilibrio psíquico. Cierre los ojos para concentrarse mejor.

Espire a fondo. Inspire hinchando el vientre, luego apartando las costillas y por fin haciendo subir el aire a la parte superior del pecho. Espire completamente. Su respiración es silenciosa, regular y consciente. Al inspirar, visualice una luz azulada que ha entrado en su nariz al mismo tiempo que el aire respirado. Al espirar, esta luz cálida y azulada, que es energía pura, fuerza cósmica, invade todas las células de sus pulmones. Inspire de nuevo, no sólo aire, oxígeno necesario para el organismo, sino también toda esta energía sutil que anima todo en el universo y que le es absolutamente indispensable. Por tanto, al inspirar, imagine que esta energía se fija sobre cada una de las células de sus pulmones. Luego espire completamente. Haga otras cinco o seis veces el ejercicio.

Puede ampliar esta fijación de energía a todas las partes del organismo: inspire visualizando siempre una luz azulada; espire dirigiendo esta luz hacia el pie derecho –pausa–. Inspire, y visualice una luz azulada que penetra en su nariz. Espire al dirigir esta energía hacia el tobillo derecho –pausa–. Inspire, visualice. Espire/pantorrilla derecha –las pausas, así como la visualización no se indicarán más, pero debe respetar un tiempo de silencio durante la inspiración y la espiración para tener el tiempo suficiente para enviar el flujo de energía azulada donde usted desea que vaya–. Inspiración –...– Espiración/rodilla derecha –...– Inspiración –...–. Espiración/muslo derecho –...–. Inspiración. –Las palabras inspiración y espiración ya no serán indicadas, pero durante su grabación las deberá pronunciar– Muslo derecho, –...– glúteo derecho –...–, costado derecho –...–, hombro derecho –...–, brazo derecho –...–, codo derecho –...–, antebrazo derecho –...–, muñeca derecha –...–, mano derecha –...–, pie izquierdo

–...–, tobillo izquierdo –...–, pantorrilla izquierda –...–, rodilla izquierda –...–, muslo izquierdo –...–, glúteo izquierdo –...–, costado izquierdo –...–, hombro izquierdo –...–, brazo izquierdo –...–, codo izquierdo –...–, antebrazo izquierdo –...–, muñeca izquierda –...–, mano izquierda –...–, el cuello –...–, la nuca –...–, cabello, cuero cabelludo –...–, mentón –...–, labios –...–, mejillas y mofletes –...–, lengua, paladar, mandíbulas –...–, los ojos y los párpados –...–, las cejas, la frente –...–, la oreja derecha –...–, la oreja izquierda –...–, la nariz. Visualice el conjunto del cuerpo; se ha impregnado de energía. Sienta en sí esta fuerza de vida. Su respiración es tranquila, sosegada.

Segundo Ejercicio

Con los ojos cerrados, puede observar, en su frente, una especie de pantalla de cine negra, manchada de lucecitas. En esta pantalla proyecte un paisaje relajante: playa de arena fina barrida por el vaivén de las olas cálidas y regulares. Está tendido en esta playa de arena fina. Se deja invadir por el dulce calor que le procuran los magníficos rayos del sol. Su cuerpo se hace cada vez más pesado y deja su marca en la arena. Es éste el lugar en que se abandonan y quedan impregnadas las tensiones y los problemas. Se levanta para cambiar de sitio. Se ha convertido en un ser ligero, liberado de su pesada carga. Sus hombros están relajados, tal como sus pies, mandíbulas, frente, párpados y ojos. Todo en usted está relajado.

Tercer Ejercicio

Está cómodamente situado sobre una nube. Aun ritmo muy lento, se desplaza por el cielo, admirando todos los lugares agradables de la tierra que ha conocido o que le gustaría conocer. La nube se coloca sobre uno de sus lugares particularmente apetecidos. Envuelto en esta especie de paraíso cálido, relájese profundamente; se convierte en algo tan ligero como la nube. Todo el lado posterior de su cuerpo se extiende, desaparecen las tensiones.

Cuarto Ejercicio

Está cómodamente tendido sobre una alfombra. Despacito despega del suelo para dirigirse hacia el cielo. Un cielo sin nubes de un azul luminoso. Continúa su ascensión y la imagen de la tierra va alejándose. Entra en el Universo sembrado de estrellas. En este cosmos silencioso ya no tiene ningún tipo de obligaciones. Flota por el aire libre de toda fuerza de gravedad. Sus problemas y preocupaciones los ha dejado en la tierra. En este espacio infinito, poco a poco se va transformando. A partir de su centro, el abdomen, el cuerpo se estira en todas direcciones. Se convierte en algo tan amplio como el universo que le rodea. La conciencia sigue la misma ampliación. Sigue creciendo y se convierte en la conciencia misma del universo. Un espacio infinito le habita.

No más tensiones. Está en paz consigo mismo. Su respiración, que también es la del universo, es tranquila, calma, sosegada.

Ahora las sugestiones que propondrá a su psiquismo, para ser eficaces, tienen que ser siempre positivas, sinceras y expresadas muy claramente. No las cambie continuamente. También debe conservar la misma fórmula hasta que el deseo que representa se realice en su vida. De nuevo ejecute respiraciones completas. Inspire profundamente desde la nariz hasta el vientre, luego siga inspirando hasta las costillas, hacia la región bajoclavicular. Espire dejando llegar un suspiro. El diafragma vuelve a recuperar su posición inicial así como lo hacen las costillas.

Continuará con esas respiraciones amplias y profundas añadiéndoles una fórmula apropiada:

- Al inspirar, dígase«estoy relajado/a».
- A espirar «absolutamente relajado/a».
  Basta claro, con decírselo mentalmente.

Haga otra vez, al menos, diez respiraciones acompañadas de estas fases complementarias. Durante este ejercicio, recorra también todo el cuerpo hasta sentirlo realmente relajado.

Cuando desee abandonar este estado de paz interior, bastará con focalizar la atención sobre el abdomen y respirar profundamente en esta zona. Poco a poco tomará de nuevo conciencia de los ruidos, y dejará que espontáneamente aparezcan todos los movimientos: suspiros, bostezos y estiramientos.

Gracias a esta experiencia, a partir de ahora conservará en la memoria esta posibilidad que tiene, tantas veces cuantas quiera, de ampliar su campo de conciencia, de organizar una especie de viaje a través de lamente.

Y de este viaje, en su fuero interno vuelve recuperado/a, recentrado/a, y por lo tanto más apto/a para enfrentarse a las necesidades de la vida cotidiana.

Capítulo 4
Respuestas a sus preguntas

Estos intercambios han tenido lugar después de clases de relajación, durante acciones de formación, o de conferencias que trataban del tema.

He practicado la relajación con un monitor que me pedía que sintiera cómo mi brazo se hacía pesado, muy pesado... ¡Pero yo, lo sentía ligero! ¿No existe, para la relajación, otra manera que la de ser manipulado o sometido a una especie de «dictadura de las sensaciones»?

La respuesta debe ser muy matizada. Para esto, hace falta tratarla en varios aspectos y ampliar el debate.

El arte de la pedagogía se basa en varios criterios. Para conseguir transmitir una disciplina y, en el caso presente, hacer vivir ejercicios, la noción de «alumnos conocidos» es primordial. Además, hace falta ser sumamente cautelosos en cuanto al vocabulario empleado.

No se enseñan los mismos ejercicios a personas que vienen a iniciarse por primera vez en la disciplina que a otras para las que ciertas bases de entrenamientos han sido asimiladas con anterioridad. Ahora bien, la relajación es a la vez un estado y una técnica y como tal, debe ser asimilada y aprendida progresivamente. El segundo punto es la importancia del vocabulario empleado y tomar precisamente como ejemplo la inducción de sensaciones.

Le pido a los principiantes, en un primer momento, que centren su atención en las distintas partes del cuerpo que nombro. Cuando he enumerado las distintas partes del cuerpo de todo un lado (véase ejercicio n.° 6), les pido:

- «Comparen el lado derecho y el lado izquierdo gracias a tres parámetros:
  El peso –pausa–, la longitud –pausa–, la temperatura –pausa.

Por tanto, son las personas a las que me dirijo quienes sienten el brazo derecho más ligero o más pesado que el brazo izquierdo, más largo o más corto, más caliente o menos caliente y no soy yo quien les digo «su brazo derecho es más ligero o pesado, etc.».

¿Por qué tomar estas precauciones? Simplemente por respeto a LA LIBERTAD INDIVIDUAL DE SENSACIONES y, a largo plazo, para dar a cada individuo, LOS MEDIOS DE SER AUTÓNOMO. Por tanto, coloco a los participantes en unas situaciones particulares en las que aprenden a utilizar una herramienta. El manejo de ésta puede acarrear uno u otro tipo de efectos, pero no se trata de una búsqueda sistemática de efectos, como en el caso señalado anteriormente de sensaciones de pesadez o ligereza.

En cambio, después de cierto tiempo de práctica –distintas según cada uno–, propongo a los participantes inducir en distintas partes del cuerpo, según la voluntad, sensaciones de frescor, de pesadez y ligereza. Esto se realiza con la finalidad de DOMESTICACIÓN DE LAS SENSACIONES para convertirse en un ESPECTADOR VIGILANTE Y LÚCIDO. Es decir, que les pido a los participantes permanecer siempre CONSCIENTES. No se trata en absoluto de hipnosis, aunque esta técnica, empleada en terapia, proporciona por otra parte excelentes resultados.

En realidad, todas las técnicas de relajación, tales como el entrenamiento autógeno, la relajación de Jacobson, la sofrología, proponen una progresión gracias aun entrenamiento, si es posible diario, para acceder, a medida que se va practicando, a niveles, ciclos o etapas cada vez más elevados.

Finalmente, contestaré a su pregunta con otros interrogantes: ¿no cree que somos todos seres condicionados? Si tiene conciencia de ello ¿por qué no intentar reacondicionarse, pero de manera positiva? ¿No es una búsqueda capital el querer ser el maestro de sus propias energías y de esta manera esperar a ser el dueño de su destino?

* * *

Después de mi primera sesión de relajación, he sentido un profundo cansancio y al volver a mi casa, me dormí rápidamente, cuando sin embargo, había asistido a la dicha sesión con la finalidad de «recargar energías».

Durante muchos meses, quizás años, usted ha ido acumulando tensiones y tal vez un estado de cansancio permanente, pero vivía gracias a sus «nervios» ya sus «reservas». Se dice, día tras día que hay que aguantar, que «no debemos escuchar a nuestro cansancio». Quizás entonces, de vez en cuando ¿aprieta los puños o los dientes en señal de resistencia? ¿Toma vitaminas?, pero tarde o temprano ya no podrá aguantar, su resistencia irá flaqueando, la energía se acaba, hasta que llega el momento en que revienta su salud.

O bien descubre la relajación, aunque por supuesto que en esto no existen los milagros. A veces incluso el estrés, el cansancio, han adquirido dimensiones desproporcionadas, por lo que la relajación por sí sola no es suficiente. Por tanto, hay que pensar seriamente en una cura o prácticas que le permitan recuperar su forma.

¿Qué pasa durante la primera sesión de relajación?

Se deja llevar completamente por el estado de relajación y por sus sensaciones, y tal vez por primera vez desde hace muchos años, aparece su verdadero yo: ¡Es un estado de cansancio absolutamente natural y muchas personas, créame, no esperan llegar a su casa antes de dormirse! Ya que sumirse en el sueño es una forma natural de recuperarse, hasta el punto de que numerosos estudios han demostrado que era imprescindible respetar las horas de sueño que cada uno necesitaba, y sobre todo, respetar la calidad del sueño: acostarse antes de media noche; no comer demasiado, tener una actividad tranquila por la noche –por ejemplo no ver películas violentas.

En cambio, la relajación practicada regularmente permite un descanso y una recarga del sistema nervioso y de los músculos en el momento en que el organismo lo necesita. Por tanto, no existen efectos acumulativos y no penetra en el ciclo infernal: cansancio... tensiones... estrés... cansancio... tensiones...

En un sentido práctico, durante las sesiones de relajación que propongo, digo a menudo: «no se duerman»; o «permanezcan atentos», ya que efectivamente, algunas personas se dormirían muy fácilmente. Una vez ya en su casa, sobre todo después de la primeras sesiones, se tiene la impresión de que las fuerzas nos han abandonado, que estamos débiles, «molidos», pero este fenómeno es momentáneo e, insisto, absolutamente normal.

Ha abandonado las muletas que mantenían artificialmente su tono anormalmente hiperactivo. Una vez olvidadas las muletas, «cae» literalmente en hipotonicidad. Luego, conforme a las necesidades, o vuelve a encontrar un tono normal, es decir adaptado a la situación, o vuelve a sus antiguas costumbres que consisten en gastar mucha más energía de la que es necesaria para realizar una acción determinada. La solución, por tanto, consiste en practicar lo más frecuentemente posible la relajación y en aplicar sus principios en todos los actos de la vida cotidiana.

* * *

A mi edad, tengo sesenta y siete años ¿cree usted que es posible que aprenda a relajarme y que esta técnica sea suficiente para acabar con todas mis tensiones?

Una de las ventajas de la relajación es que se dirige a todo el mundo, a partir de los cuatro años y medio, gracias a juegos adaptados para los niños, hasta... No hay ningún límite de edad. Si no se puede tender boca arriba, no importa, ya que existen otras numerosas posiciones que se encuentran a su disposición.

De otra parte, salvo graves problemas psíquicos, y este no es su caso, entre los setenta y ochenta años, es posible concentrarse de cinco a diez minutos, tiempo suficiente para recorrer, gracias a la conciencia, todo el cuerpo.

En realidad, tenemos una visión bastante errónea de las personas llamadas de la tercera edad. Ya lo he explicado en mi libro anterior[35] en el cual he intentado demostrar que, contrariamente a lo que se cree, las distintas funciones del organismo no tienen por qué degenerarse de una manera sistemática e irremediable. En esta ocasión también se trata tan sólo de una cuestión de entrenamiento.

Además, se puede decir que existen tres edades: la edad biológica, la edad mental y la edad cronológica. En su documentación aparece como un hombre de 67 años, habiendo nacido por tanto en 1929. Esto es incuestionable y no se puede cambiar ¿Pero qué pasa con su organismo? ¿Qué edad tienen sus arterias? ¿Sus pulmones? ¿Su corazón? ¿Ha cuidado su alimentación? ¿Ha practicado regularmente una gimnasia de mantenimiento o una disciplina que favorezca el proceso respiratorio y la flexibilidad? Como puede ver, la edad biológica se puede modificar como quiera a condición que incluyamos en nuestra agenda un método que proponga un entrenamiento psicosomático.

En cuanto a la edad mental, no es sino la consecuencia de cierta visión del mundo, de un comportamiento, de actitudes ante las cosas, los seres y los acontecimientos. Un joven podrá ser «viejo» a partir de los veinte años, simplemente porque habrá borrado completamente su «estado del yo infantil» por emplear una terminología adaptada al importante Análisis Transaccional. Permanecer joven toda la vida es posible, de hecho es la apuesta que han hecho –y lo han conseguido– las personas que impulsaron los centros educacionales de la tercera edad: jubilados que asisten en estos centros a clases, en las que se matriculan como estudiantes. Allí siguen conferencias sobre temas muy variados; participan en actividades físicas y deportivas, en la realización de proyectos o memorias... En resumen, saben permanecer jóvenes.

Para terminar, a los 67 años y muchos más, ningún obstáculo puede impedir que su conciencia, a través de todas y cada una de las partes de su cuerpo, alcance el estado de relajación. Descubra entonces que NUNCA ES DEMASIADO TARDE para liberarse de las tensiones acumuladas y condicionamientos que van en contra de la PLENA LIBERTAD DE SER.

«Hoy, he dejado de pensar en términos de juventud y vejez. Veo que los años tienen poco que ver con la manera de pensar. Conozco a personas de 20 años que realmente tienen 90 y hombres de 60 años que tienen 20. Ahora pienso en términos de frescor, entusiasmo, falta de conformismo, de estancamiento y de pesimismo.»

A. S. NEILL

* * *

Al salir de su clase, me siento, en mi casa, muy tranquila y relajada. Pero esto no dura mucho tiempo. Intento relajarme yo sola, pero es muy difícil ¿Piensa ustedque puedo llegar a conseguirlo algún día?

Acuérdese de cuando era niña: ¡no se ha vestido ni lavado los dientes sola desde el primer día de su nacimiento!

Necesitó de la ayuda de alguien durante un período de tiempo más o menos largo; igual para aprender a leer, a escribir ya contar. Más tarde, ha obtenido el carnet de conducir. Supongo que hoy, cuando se desplaza, su monitor de autoescuela ha dejado de acompañarla –risas en el público.

Lo mismo ocurre con la relajación. Aunque, para empezar, no es un coche lo que tiene que aprender a conducir, sino así misma: el volante, es su conciencia; su mente, cuadro de mandos; el sistema nervioso, el sistema eléctrico; la energía, la batería; la gasolina, la alimentación que ingiere... si seguimos con este ejemplo a modo de comparación ¡relajarse es aprender a poner un freno a las actividades, ya que a menudo, cometemos excesos de velocidad! Cuántas veces nos saltamos el semáforo en rojo: no escuchamos las señales de alarma que nos envía nuestro cuerpo –la luz ámbar del semáforo– y un día, debemos pararlo todo ya que caemos enfermos –quedarse sin combustible–. Sin embargo, nuestro organismo nos dice enseguida que existe una disfunción, pero, en lugar de efectuar cuidadosamente la verificaciones o reparaciones necesarias, continuamos, ciegamente, hasta... el accidente ¿Cuántas crisis cardiacas, enfermedades cardiovasculares y depresiones se deben a una falta de escucha de sí mismo? Millones de personas en el mundo tienen un estilo de vida absolutamente aberrante, con una higiene poco salubre: sería realmente ridículo no ponerle el mejor combustible o aceite para que arranque el coche ¿Verdad que sí? Sin embargo, comemos y bebemos cualquier cosa, ¡cuando sabemos a ciencia cierta que no se puede de ninguna manera cambiar nuestro vehículo... corporal!

Así puede aprender, gracias a los distintos ejercicios, a utilizar todo su cuerpo ya domesticar sus numerosas funciones. Las técnicas de respiración, de contracción y relajación muscular, del camino seguido por la conciencia... le permitirán dominar progresivamente sus gestos y pensamientos, desde una óptica de armonización y ahorro de energía, gracias aun monitor.

Luego, en una segunda fase, aprenderá a utilizar sólo las herramientas propuestas: el texto, el ritmo, la técnica apropiada, el tiempo de relajación necesario... Así, poco a poco, se convertirá en un ser más independiente. Entonces se podrá relajar en cualquier momento y en cual. quier lugar, pero esta libertad sólo se puede adquirir con perseverancia.

En un tercer momento, tal vez, deseará compartir su experiencia como yo lo estoy haciendo en estemomento. Entonces necesitará estudiar psicología, fisiología, pedagogía y adquirir un buen dominio de las distintas técnicas que proponga. Cuando hace veinte años me tumbé por primera vez en esta alfombra para vivir una experiencia de relajación, no pensaba en absoluto que la practicaría después diariamente y que me convertiría en monitor.

* * *

Siguiendo sus consejos, practico la relajación con mucha mayor frecuencia, pero tengo la impresión de sólo ocuparme de mí misma y de ser más egoísta que antes.

Sacha Guitry definía al ser egoísta de esta forma: «¡Se trata de alguien que no piensa en mí!». Recuerdo esta broma para insistir en la dificultad de definir el egoísmo. Somos egoístas cuando siempre volcamos el centro del universo en nosotros mismos. En cambio, es necesario recentrarse sin llegar a sentirse como el centro del mundo. Todo lo contrario, gracias a las técnicas de conocimiento de sí mismo, de cambio de estado de conciencia, nos damos cuenta que no somos sino una muy pequeña parte de un inmenso puzzle. Sin embargo, basta con que una sola de las piezas del puzzle no se ajuste bien para que el conjunto quede incompleto.

Además ¿cómo pretende ser realmente atento con los demás, escucharlos, si sus propios problemas no están resueltos, si lleva dentro odio, desprecio y celos? Si al contrario, descubre que cada uno de los que le rodean es una joya única, no puede entonces envidiar ni las cualidades, ni lo bueno del prójimo ¿No es una prueba de altruismo la de querer transformarse? Desear mejorar sus relaciones con los demás, con el mundo. Convertirse en una persona más predispuesta a la ayuda, relajada, para crear un clima armonioso en su contexto profesional o familiar. Todos necesitamos en ciertos momentos intimidad con nosotros mismos, de miradas introspectivas, de «centrarse», pero la mayoría de la gente escapa de sí misma porque tiene miedo: miedo de lo que podrían descubrir en su interior, como algunas cosas que no siempre hacen ilusión. Entonces invierten en actividades fútiles, o compensan una carencia al ir de compras.

¿No le parece que una persona que está trabajando todo el día, más tarde va a hacer las compras, luego se ocupa de los niños –deberes de escuela, baño, cena– necesita de vez en cuando un poco de tranquilidad, de descanso y de una mirada introspectiva para recargarse y recentrarse?

No es egoísmo, sino sentido común, una administración inteligente de sus energías.

* * *

Al principio de la relajación, logro concentrarme correctamente y seguir las indicaciones que usted nos proporciona. Luego, de un solo golpe, dejo de estar concentrada, mi espíritu se escapa hacia otra parte. Obviamente es aún peor cuando intento relajarme sola ¿qué debo hacer para impedir estas divagaciones?

Primero debe entender perfectamente el funcionamiento de la mente. Para eso debe imaginar que la mente puede ser representada por su brazo derecho; mientras tanto su brazo izquierdo representará el conjunto de los movimientos posibles de las distintas partes del cuerpo.

Si le pido que levante como quiera su brazo izquierdo, girar la cabeza a la derecha, extender la pierna derecha, no tiene ningún problema y, salvo caso patológico, la mayoría de la gente puede hacerlo. Con una simple orden puede mover cada uno de los miembros e incluso varios al mismo tiempo.

Ahora pida a su mente que se concentre, por ejemplo, en su respiración. Para ayudarse, cierre los ojos muy rápidamente, se dará cuenta de que dejará de estar concentrado, para volver a emplear su propia expresión. Entonces, concretamente, si como lo hemos sugerido, su mente está siendo representada por su brazo derecho, su mente emite el siguiente mandamiento: movimientos incontrolados del brazo derecho en todas las direcciones. Esto ocurre de esta forma durante todo el día. Tiene muchas dificultades para hacerlo funcionar como desea. En cambio, con entrenamiento, podrá rápidamente conseguir esto: el brazo derecho se levanta y se baja despacio, dirigiéndose a la dirección deseada. Así, al igual que se puede adquirir un dominio corporal muy grande, también se puede conseguir un gran dominio de la mente. El interés de algunas disciplinas es que procuran este doble logro, en particular el yoga y las artes marciales.

Por tanto, cuando toma conciencia de que la mente se convierte en un «mono borracho», que los pensamientos se le escapan como «caballos salvajes», basta con centrar su atención en un objeto determinado. En este caso, la relajación tiene mucho interés, ya que además de las ventajas de las que he hablado, los distintos ejercicios propuestos desarrollan su poder de concentración. En efecto, si por ejemplo le propongo el ejercicio del camino seguido por la conciencia, se verá obligado a domesticar suficientemente su mente para que siga mis indicaciones. Con entrenamiento logrará hacer que su mente se mantenga en la dirección deseada.

Sin embargo, una precisión: cuando surgen pensamientos, no se oponga a ellos brutalmente. Esto crearía una tensión contraria a la meta buscada. Deje pasar estos pensamientos como si fueran nubes en el cielo, no se ocupe de ellos; continúe tranquilamente con la visita guiada por todo su cuerpo o con la observación de su respiración, pero sobre todo, no se preocupe: este fenómeno es absolutamente normal, lo que pasa es que antes de las sesiones de relajación, no era consciente de ello, pero, lo digo por última vez, no intente luchar frontalmente contra este fenómeno. Actúe directamente sobre las causas de esta agitación perpetua al intentar, por ejemplo, desconectar los nervios de los órganos sensitivos. Esto desembocará automática y naturalmente en el silencio interior.

* * *

¿Por qué las técnicas de relajación, tan eficaces, no se enseñan en las escuelas ni están incluidas en los planes de estudio?

«¡Qué tontería! ¡Mis hijos practicando la relajación! ¡Pero eso es perder el tiempo! ¿y qué hace el profesor durante ese tiempo mientras tanto? ¡ Pueden dormir o descansar en casa! ¡Relajación cuando ni tan siquiera saben leer ni escribir!»

Éste es el tipo de comentarios que se pueden escuchar de los padres de alumnos en cuanto a la relajación. En efecto, para la mayoría de la gente, relajarse equivale a dormirse, pero sobre todo es que para ellos esto constituye UNA PÉRDIDA DE TIEMPO, y esto no lo pueden soportar. La mayoría de los padres le tienen miedo al futuro y en nuestra sociedad, reina el diploma mucho antes que la competencia. Por no hablar del equilibrio, paz interior o la alegría desde el momento en que son criterios absolutamente ignorados. Los niños tienen que ser brillantes en la escuela para poder pasar favorablemente los exámenes más tarde. Por eso todo el mundo, o casi todo el mundo, está dispuesto a cualquier sacrificio: ritmo de vida muy acelerado de los niños, prohibición de la noción de placer, obligación absoluta a la obediencia. Ya no se busca formar futuros ciudadanos, felices de vivir con un trabajo que les gusta. Se crea muy a menudo hombres y mujeres que sólo tienen una meta urgente. Dejar los estudios para... ¡aburrirse en una profesión que la mayoría de las veces ni tan siguiera eligieron! Personalmente creo mucho en el porvenir de la relajación en la escuela, sobre todo después de haberlo experimentado.

Desde hace algunos años, intervengo como monitor de yoga-relajación en el marco del A.T.E. –reparto del tiempo y actividad del niño–, es decir en el mismo seno de la escuela, durante sus horas de actividad. Pero los ejercicios se presentan como juegos, adaptados a la edad de los niños de entre cinco y trece años. Es necesario hacer pruebas de IMAGINACIÓN, para entrar completamente en el universo de los niños.

La relajación les aporta sobre todo dos cosas:

- Un desarrollo de su esquema corporal.
- Una mejor concentración y por consiguiente, una mejor facultad de escucha.

Las relajaciones son cortas –entre cinco y diez minutos– y todos los otros ejercicios son muy numerosos y sumamente variados. Como para los adultos, son muchas las posiciones y poco importa el lugar. De esta forma la relajación puede practicarse tanto en el aula de la clase como en la biblioteca, en el aula de música...

Existen de esta manera tres posibilidades:

- La escuela recurre a profesionales externos especializados, lo que provoca una ruptura benéfica para los niños ¡Y los profesores! en sus horarios de clase.
- Los profesores siguen una formación sobre técnicas de relajación en diferentes organismos, bajo forma de prácticas o durante sus fines de semana.[36]
- Los I.U.F.M. –Institutos Universitarios de Formación de los Maestros, institución francesa– incluyen en su programa una formación encaminada a este tipo de prácticas, paralelamente a la educación física, la música, la pintura...

En resumidas cuentas, la relajación –de hecho como otros muchos métodos– es una técnica sumamente eficaz, simple y asequible a todos. Practicada por los niños más jóvenes, desarrolla su autonomía, concentración, memoria, creatividad, percepción y su confianza en sí mismos.

* * *

No me siento a gusto cuando me coloco boca arriba para relajarme. ¿Existen otras posiciones? ¿Cuál es la mejor?

La postura más eficaz para relajarse es, seguramente, la de estar tumbados boca arriba. Se encuentra en prácticamente en todos los ejercicios en los que se practica la relajación. En efecto, en esta posición el tono está más bajo.

Sin embargo, la relajación debe poder practicarse en todos los sitios y adaptarse a cada uno. Así, si no se siente a gusto tumbado boca arriba, puede colocarse en otras numerosas posiciones. Lo importante es que no se quede frío y que pueda mantener la posición sin moverse, Más tarde, con entrenamiento, podrá relajarse en cualquier momento y lugar, por ejemplo en el tren o en el metro. Algunas personas logran incluso relajarse de pie y con los ojos abiertos.

* * *

¿Son recientes las técnicas de relajación?

Hace miles de años que son conocidas estas técnicas y, por ejemplo, los textos sánscritos hacen una frecuente referencia a este estado, pero en la época de los Rishis –título honorífico concedido al que está considerado como sabio, es decir, el que tiene una visión directa de la realidad– la relajación no tenía el mismo propósito que la mayoría de los métodos propuestos hoy día ya que el contexto era distinto. Por una parte, el estrés permanente y la crispación muscular son típicos de la era industrial, de nuestra sociedad mecanizada y la necesidad de relajación no existía antes. Por otra parte, este tipo de técnica solamente estaba reservada a una elite, a iniciados cuidadosamente seleccionados. De esta forma la relajación se utilizaba con la meta de sumergirse en unos estados de conciencia distintos a los percibidos en el estado de vela. Hoy día la relajación permite «solamente», pero eso ya es mucho, beneficiarse de todas las ventajas de las que anteriormente he hablado: relajación muscular debajo del tono normal, entrenamiento a la relajación voluntaria, recuperación ultrarrápida, facilidad para conciliar el sueño...

Por tanto, el principio de la relajación es tan antiguo como la práctica del yoga, que se pierde en la noche de los tiempos. El yoga nidra –conciencia serena en un sueño profundo y lúcido– tiene sus raíces en la tradición inmemorial que, hoy día, puede ser accesible a todo el mundo, a condición de que el adepto sea un buscador sincero y perseverante.

* * *

¿No es jugar a aprendiz de brujo inducir, por ejemplo, en las sugestiones conscientes, imágenes o pensamientos de los que, en el fondo, no conocemos muy bien las consecuencias?

Vivimos, desde nuestra más tierna infancia, en un entorno fabricado de palabras e imágenes que, lo queramos o no, forjó una parte de nuestra personalidad y forma nuestro subconsciente. Ahora bien, es el que guía nuestra vida, es el responsable de nuestros comportamientos y da vida a nuestros sueños. Sin embargo, gracias aun «trabajo sobre uno mismo», conseguimos entender mejor nuestro funcionamiento, modo de pensar, a analizar el impacto de talo cual influencia y sobre todo, tenemos la posibilidad, en cualquier momento, de cambiar. El tener una mente positiva y poseer una gran confianza en sí mismo puede adquirirse. Para eso basta con entrenarse. Se cita frecuentemente el ejemplo de niños muy tímidos que, gracias al judo o al kárate han adquirido seguridad en sí mismos y se han abierto a los demás. Ocurre lo mismo con algunos ejercicios practicados durante la relajación: la repetición de un pensamiento positivo va paulatinamente germinando sobre el terreno del subconsciente y acabará por florecer a nivel consciente y cambiará radicalmente su actitud. También las imágenes tienen un fuerte impacto emocional y de hecho esto constituye la base del arte cinematográfico.

Efectivamente, como usted bien dice, habrá que utilizar repeticiones mentales e imágenes de manera inteligente: por ejemplo contentarse con elegir afirmaciones positivas y formuladas en términos claros y precisos: «tengo una salud de roble» antes que «ya no estoy enfermo». En cuanto a las imágenes, elija las que en estado de vela corriente, le procuran un sentimiento de serenidad y de paz interior: un cielo estrellado, una playa soleada, una cumbre de montañas nevadas...

A modo de conclusión

Acaba de finalizar la lectura de este libro. En esta guía, he querido hacerle compartir mi experiencia de veinte años de práctica. He procurado darle explicaciones claras y precisas, no para hacerle una demostración de todos los beneficios de la relajación, sino para incitarle a practicarla.

Ya que todo proceso de evolución personal no puede desarrollarse plenamente si no es gracias a una experimentación. Por supuesto, un monitor cualificado o una obra tal como esta, pueden ayudarle en este camino. Pero es usted y sólo usted quien debe permanecer como actor de esta exploración interior.

Entrénese. Practique, practique, siga practicando. Siempre. Y déjese llevar. De la figura de actor principal debe convertirse, entonces y al mismo tiempo, en la figura del espectador lúcido y consciente de esta verdadera alquimia interior que le cambiará profundamente.

Todo es posible

Al despertarte cada mañana
piensa que todo es posible.
Abre las manos del todo
para tocar lo que te parece invisible.
Percibe todos los primeros sonidos de la vida
como un verdadero himno a la alegría.
¿De qué tienes miedo? ¿Tienes tantos enemigos?
Actúa, haz lo que debes hacer.
La Vía Real es para cada uno
enseguida, en este instante.
Es aquí, ahora, y no mañana
cuando puedes andar como un gigante.

JACQUES CHOQUE –Saint Pair sur Mer

Deseos

«Vaya tranquilamente entre los estruendos y las prisas, y acuérdese de la paz que puede existir en el silencio. Sin alienación, viva tanto como le sea posible y en armonía con las otras personas. Exponga suave y claramente su verdad; escuche a los demás, incluso al simple de espíritu y al ignorante; ellos también tienen su historia. Evite a los individuos ruidosos y agresivos, constituyen una ofensa para el espíritu. No se compare con nadie: correrá el riesgo de convertirse en alguien vano o vanidoso. Siempre hay personas mayores y menores a usted. Goce de sus proyectos tanto como de sus resultados. Permanezca siempre interesado en su profesión, por modesta que ésta sea. Sea prudente en sus negocios; ya que el mundo está lleno de bribones. Pero no sea ciego en lo concerniente a la existencia de la virtud; muchos individuos van en busca de grandes ideales; y en todas partes la vida está llena de heroísmo. Sea usted mismo. Sobre todo no destruya la amistad.

Tampoco sea cínico en el amor, ya que éste es, ante toda esterilidad y todo desencanto, tan eterno como la hierba. Acepte con bondad el consejo de los años al renunciar con gracia a su juventud. Fortifique una potencia de espíritu para protegerse en caso de repentinas desgracias, pero que las quimeras no le den pena. Muchos miedos nacen del cansancio y de la soledad. Más allá de una disciplina sana, sea dulce consigo mismo.

Usted es un hijo del universo, no menos que los árboles y las estrellas; tiene todo el derecho a estar aquí. Aunque se cuestione este aspecto, sin duda la vida se desarrolla como debe hacerlo. Esté en paz con Dios, cualquiera que sea su concepción de Él, y cualesquiera que sean sus ocupaciones y sueños, conserve en la ruidosa confusión de la vida, la paz en su alma. Con todas sus perfidias, sus labores fastidiosas, sus sueños rotos, el mudo es, sin embargo, bello. Préstele atención. Intente ser feliz.»

Transcrito de una vieja iglesia
de Baltimore en 1692
Autor anónimo

Bibliografía

ABRASSART Jean Louis, *Le do-in,* Ed. Ellebore, París.

ALEXANDER G., *La eutonía: Camino hacia la experiencia total del cuerpo,* Paidós Ibérica, 1992.

BRIOUL M., *Travail corperel en trainin autogène,* Ed. Ellebore, 1990, París.

BROSSE Thérèse, *La conscience énergie,* Ed. Présence.

CAYCEDO A., *L'aventure de la sophrologie,* Ed. Retz. 1983, París.

CHOQUE J.

– *Sports et yoga,* Ed. Albin Michel. París, 1980.

– *Yoga pour futures mamans,* Ed. Albin Michel. París 1989.

– *Yoga et troisième âge,* Ed. Albin Michel. París, 1989.

– *Yoga y expresión corporal para niños y adolescentes,* Paidós Ibérica, 1992.

– *Yoga, santé et vie quotidienne,* Ed. Terradou Thouard. 1991.

– *Cuide anti-stress,* Ed. Lamarre. París, 1993.

–*Apprenez à bien respirer* (libro-cassette), Ed. Ellebore. París, 1993.

– *Yoga a deux ete massages relaxants,* Ed. Equilibres aujourd'hui. Flers, 1993.

– *Etre professeur de yoga,* Ed Equilibres aujour'hui. Flers, 1993.

DESHIMARU Taisen, *La práctica del Zen,* América Ibérica.

JACOBSON Edmond, *Savoir re laxer pour combattre le stress,* Ed. de l'Homme. Montreal.

JOST Jacques, *Equilibre et santé par la musicothérapie,* Ed. Albin Michel. París.

KOU James, *Tai chi chuan,* Ed. F.F. T.C.C. París. MONTAGU Ashley, *El contacto humano,* Paidós Ibérica, 1983.

ROY M., *De la relaxation au stretching,* Ed. Ellebore. París.

SABBAGH Karl, *Le corps vivant,* Ed. Carrère. París. SATYANANDA, *Yoga nidra,* Ed. Satyanandashram. París.

SCHULTZ J. H., *El entrenamiento autógeno – autorrelajación concentrativa,* Científico Médica, 198O. SOULIER Geneviève, *Massages pour bébé,* Ed. Ellebore. París.

WERBER Bernard, *El día de las hormigas,* Plaza & Janés, 1993.

Revistas:

Yoga, André Van Lysebeth 1O7O-Bruselas, 118 rueGeroges Moreau.

Nouvelles clés, route de Murs B.P. 18 –84220 GORDES *Soins,* Inter ediciones: 7 rue de I 'Estrapade – 75005 París. *Ca m 'intéresse,* 73/75 rue de la Condamine – 75854 París. Cedex 17.

Maravillas y secretos del cuerpo humano, Selecciones del Reader's Digest. Edición francesa. París.

Le livre guide de la vie quotidienne, Ed. Robert Laffont.

Notas

1. La pathologie médicale. *Système nerveux et muscles.* Flammarion. Paris, 1973.
2. *Revue Yoga* nº 166, pág 19.
3. Schultz, J. H. *El entrenamiento autógeno – autorrelajación concentrativa,* Científico Médica, 1980.
4. *Savoir relaxer pour combattre le stress,* Jacobson. Edition del'Homme, 1980, Montreal.
5. *Le corps retrouvé par l'eutonie,* Ed. Tchou.
6. *Le corps retrouvé par l'eutonie.*
7. *La conscience énergie,* Thérèse Brosse (Éditions Présence).
8. *Yoga Nidra,* Swami Satyananda (Éditions Sayanandashram, 1980, 11 cité Trévise – 75009 París).
9. Por «centro» el autor entiende las partes del cuerpo bien definidas tales como los dedos, rodillas, palmas...
10. *La práctica del Zen,* Taisen Deshimaru, América Ibérica.
11. *La práctica del Zen,* op. cit.
12. *Yoga, santé et vie quotidienne* págs. 89 a 97.
13. Del autor: *Une séance de relaxation,* una hora de ejercicios dirigidos (Edición de A.C.C.).
14. *Yoga Nidra,* Swami Satyananda. Éditions Saynandashram, París 1980, pág. 58.
15. *Le corps vivant,* Karl Sabbagh (Éd. Carrère), pág. 24.
16. Citado por Bernard Werber en su novela *El día de las hormigas.*

17. Revista *Ça M'intéresse*. Pág. 59.
18. Montaigne, *Ensayos*.
19. *Maravillas y secretos del cuerpo humano,* Selecciones del Reader's Digest. Edición francesa, París.
20. *Équilibre et santé par la musicothérapie,* Jacques Jost, Ediciones Albin Michel, París.
21. Artículo de Philippe Kerforne publicado en *Nouvelles clés,* Revista mensual n.º 22 de marzo-abril de 1992.
22. Véase *Deportes y yoga* pág. 172 y ss.
23. Nota: existen dos posibilidades de pronunciación, a saber:
    -OMmmm...
    -A...U...Mmm...
24. *Massages pour bébé* pág. 34, Geneviève Soulier, Éditions Ellebore.
25. *Le do-in,* Abrassart, Jean-Louis. Éditions Ellebore.
26. *Le corps vivant,* Karl Sabbagh. Éditions Carrère, París 1984, pág. 112.
27. *Le livre guide de la vie quotidienne,* Éditions Laffont, pág. l01.
28. *El día de las hormigas,* Plaza & Janés, 1993.
29. Revista *Yoga* n.º 235, págs. 45 y 46.
30. Revista *Soins* n.º 568, enero de 1993, págs. 43 a 45.
31. *Le Yoga Nidra,* pág. 174 –a propósito de las investigaciones del doctor Simonton.
32. *Le corps humain,* Steve Parker, Hachette Jeunesse, 1987.
33. *Maravillas y secretos del cuerpo humano*. Selecciones del Reader's Digest de 1987.
34. Si suele practicar regularmente una sesión de gimnasia o de yoga, practique esta relajación al final de la sesión. También puede utilizar una de las cintas audiovisuales que ya hemos grabado –Ediciones de L' A.C.C; o Ediciones Morisset.
35. *Yoga et 3ème âge*.

36. Es lo que propone la Association-Corps-Communication –A.C.C.– gracias a sus prácticas «técnicas de bienestar para los niños» que se dirigen a profesores, educadores, profesores de yoga, que desean poder iniciar a los niños en sus enseñanzas.

Índice

¿Qué es la salud? 7

A modo de introducción 11

Capítulo 1. Notas acerca de la relajación 15
A. ¿Qué es la relajación? 15
B. Los distintos métodos de relajación 18
1. El entrenamiento autógeno de Schultz 18
2. La relajación progresiva de Jacobson 23
3. La sofrología de Alfonso Caycedo 25
4. La eutonía de Gerda Alexander 29
5. El yoga nidra 32
6. El zen 35
7. Los masajes 38
8. El tai-chi-chuan 39
C. Las condiciones previas para una práctica eficaz .. 41
1. El lugar 41
2. El momento 42
3. El atuendo 43
4. La duración 43
5. La higiene alimenticia 44
6. La higiene corporal 46
7. Una disciplina regular 48
8. La responsabilidad del monitor 50
D. Los efectos de la relajación 52

Capítulo 2. Las distintas posturas de relajación 57
A. Forma de encontrar la postura adecuada para la relajación 57
B. Otras posturas de relajación 60

Capítulo 3. Los ejercicios prácticos 65
A. Cómo prepararse para la relajación 65
Ejercicio 1: Estiramiento de un lado del cuerpo ... 66
Ejercicio 2: Estiramiento de todo el cuerpo 68
Ejercicio 3: Contracción/relajación 68
Ejercicio 4: Contracciones/relajaciones mejoradas y progresivas 70
Ejercicio 5: La relajación natural 72
B. Cómo relajarse gracias a la sensibilidad del tacto .. 74
Ejercicio 6: Conciencia de los contactos en un solo lado del cuerpo 76
Ejercicio 7: Conciencia de los contactos en los dos lados 76
Ejercicio 8: Mejora de la conciencia de los contactos 77
C. Relajación gracias al camino seguido por la conciencia 77
Ejercicio 9: Conciencia en un lado del cuerpo 78
Ejercicio 10: Conciencia mejorada de las partes principales del cuerpo 78
Ejercicio 11: Conciencia mejorada de todo el cuerpo 79
D. Cómo relajarse gracias a la visualización 80
Ejercicio 12: Visualización de un paisaje relajante ... 82
Ejercicio 13: Visualización de un escenario: relajación acuática 83
Ejercicio 14: Visualización de un escenario: la playa 83
Ejercicio 15: Visualización de un escenario: las nubes 83
Ejercicio 16: Visualización de un escenario: el cosmos 84

Ejercicio 17: Visualización de un escenario: el espacio infinito ... 84
Ejercicio 18: Visualización de un escenario: un apacible jardín ... 85
E. Cómo relajarse gracias a la sugestión consciente . 85
Ejercicio 19: Sugestiones para relajarse profundamente ... 87
Ejercicio 20: Otras sugestiones ... 87
F. Cómo relajarse gracias a la respiración ... 88
Ejercicio 21: Simple observación de la respiración ... 89
Ejercicio 22: Respiración y contacto en el lado posterior del cuerpo ... 91
Ejercicio 23: Respiración y sensación ... 92
Ejercicio 24: Respiración y visualización de una luz ... 92
Ejercicio 25: Respiración y visualización de una espiral ... 92
Ejercicio 26: Respiración y autosugestión ... 94
G. Cómo relajarse gracias al sentido del oído ... 94
Ejercicio 27: Escuchar los ruidos ... 99
Ejercicio 28: Escuchar el zumbido ... 99
Ejercicio29: El OM ... 100
Ejercicio 30: Escuchar música ... 100
H. Cómo relajarse en movimiento ... 101
Ejercicio 31: Relajación en movimiento ... 101
I. Cómo relajarse gracias a los masajes ... 104
Ejercicio 32: Automasaje facial ... 106
Ejercicio 33: Automasaje de los hombros y la nuca ... 107
Ejercicio 34: Automasaje de todo ... 108
J. Cómo relajarse en la vida diaria ... 109
Ejercicio 35: Bostezo y contracción/ relajación natural ... 109
Ejercicio 36: Relajación relámpago ... 110
Ejercicio 37: Vigilancia frente a las crispaciones . 112
K. Cómo dormir mejor gracias a la relajación ... 114
Ejercicio 38: Relajación global ... 117

Ejercicio 39: Imitar la respiración del sueño 117
Ejercicio 40: Sugestiones positivas 118
Ejercicio 41: La programación 119
L. Relajación para las mujeres embarazadas 121
Ejercicio 42: Toma de conciencia de tres niveles respiratorios 122
Ejercicio 43: Diálogo con el bebé 122
Ejercicio 44: Visualizaciones positivas adaptadas.. 123
Ejercicio 45: El centro del universo 124
M. Relajación para los niños 124
Ejercicio 46: La ola 124
Ejercicio 47: La plastilina 125
Ejercicio 48: La pequeña simiente 127
Ejercicio 49: La muñeca de trapo 127
N. Relajación, aprendizaje y creatividad 129
Ejercicio 50: Relajación y concentración 130
Ejercicio 51: Relajación y memorización 130
Ejercicio 52: La plena confianza 130
Ejercicio 53: Dé rienda suelta a su vena artística .. 131
O. Relajación, estrés y terapia 132
Ejercicio 54: Sugestión para la salud 139
Ejercicio 55: Visualización para la salud 139
Ejercicio 56: Visualización y sugestión en caso de enfermedad 139
P. Relajación y conocimiento de sí mismo 140
Ejercicio 57: El camino seguido por los pensamientos 141
Ejercicio 58: Observar el nacimiento de un deseo .. 142
Ejercicio 59: Observación de una preocupación, de un problema 143
Ejercicio 60: Observación de su propio comportamiento 144
Q. Relajación y comunicación 145
Ejercicio 61: Gimnasia de los ojos 148
Ejercicio 62: Masaje de los ojos 148
Ejercicio 63: Visualización 148
Ejercicio 64: Relajación 149
R. Ejemplos de relajación 150

Capítulo 4. Respuestas a sus preguntas 157
– Relajación y manipulación 157
– Relajación, fatiga y recarga 159
– ¿Relajación y límite de edad? 161
– Relajación, repetición y perseverancia 163
– Relajación y egoísmo 165
– Relajación y control del psiquismo 167
– Relajación y programa escolar 169
– Relajación y comodidad en la postura 171
– La historia de la relajación 171
– Las consecuencias de la autosugestión 172

A modo de conclusión 175

Todo es posible 177

Deseos 179

Bibliografía 181

Notas 183

ÉXITOS DE AUTOAYUDA

Un camino para encontrarse a sí mismo y mejorar su percepción del mundo que le rodea.

Una mente relajada, liberada de tensiones y preocupaciones, es el mejor antídoto contra la negatividad. Este libro, ameno y de fácil lectura, le ayudará a comprender y practicar desde los ejercicios de respiración, hasta las más complejas técnicas de meditación. Con él descubrirá el poder que la meditación ejerce sobre nuestra salud física y mental.

- Aumentar su capacidad de autoestima, su tolerancia y su sensibilidad.
- Abandonar radicalmente la dependencia del alcohol, el tabaco, el café, las drogas...
- Mejorar su memoria, su creatividad y su capacidad de concentración.

ISBN: 84-7927-617-7

ÉXITOS DE AUTOAYUDA

Una guía esencial para tener una visión más positiva.

¿Te preocupa lo que te pueda suceder en el futuro? ¿El desvelo constante por tu familia no te deja vivir tranquilo? ¿Sufres a menudo ataques de ansiedad o sensaciones de pánico que escapan a tu control? Si es así, este libro puede ayudarte a dar un nuevo enfoque a tu vida, mostrándote cómo enseñar a tu mente nuevos hábitos, más serenos y equilibrados.

- Cómo reconocer tu propia personalidad y tus reacciones ante situaciones de estrés.
- Cómo distinguir las diferencias entre el miedo, la ansiedad, la culpa, el estrés o la simple preocupación.
- Cómo aprender a aceptar que a veces las circunstancias escapan a nuestro control.

ISBN: 84-7927-699-1